小学館文庫

新 ガラクタ捨てれば自分が見える

——風水整理術入門——

カレン・キングストン

田村明子　訳

小学館

CLEAR YOUR CLUTTER WITH FENG SHUI,
Revised Edition,2013
by Karen Kingston

First published in Great Britain in 1998 by Piatkus, and the revised edition in 2013
by Piatkus, an imprint of the Little, Brown Book Group.
Japanese translation rights arranged with Little, Brown Book Group Limited, London
through Tuttle-Mori Agency, Inc., Tokyo

Karen Kingston's information

Website : www.spaceclearing.com

email : info@spaceclearing.com

新 ガラクタ捨てれば自分が見える

――風水整理術入門――

はじめに

私の初めての著書『Creating Sacred Space with Feng Shui』（邦題『ガラクタ捨てれば未来がひらける』小学館文庫）が一九九六年に出版されると、読者たちから内容が面白く、情報がとても役に立ったという感想が殺到しました。中でも、「ガラクタ」クリアリングの章に関する手紙や電話、Eメールなどの数は特に多かったのです。

そこで一九九八年に丸々一冊このテーマに関する本を執筆したのは、ごく自然な流れでした（邦題『ガラクタ捨てれば自分が見える』小学館文庫）。そして私と編集者は、買ってくれた読者のガラクタを増やさなくてもすむように、文庫本サイズにすることで合意したのです。

二〇〇八年には、この本に、いくつかの確認作業や情報更新、そして現代人が直面するもっとも大きな「ガラクタ」である時間の無駄に関する章を加筆し、改訂版として出版しました。これも世界中で翻訳されて、売れ続けたのです。

本書（邦題『新 ガラクタ捨てれば自分が見える』）は、さらなる情報の更新とともに、完成品にするための新たな章「視点を変える」を加えた、二〇一三年版です。「ガラクタ」クリアリングを楽しんでください！

カレン・キングストン

目次

第二部

「ガラクタ」を見分ける

第三部

「ガラクタ」を処分する

第一部

「ガラクタ」を理解する

第一章　風……何？

次に訪れる町への切符をポケットに、それ以外はほとんど何も持たずに旅をする女性に出会ったことがあります。彼女には手相を読むという、特殊な能力がありました。ですからどこに行っても、寝る場所と食べるものには事欠くことがありません。これぞと見定めた地元のレストランやホテルに行って支配人を呼び、食事と泊まる場所、そしてわずかな報酬と引き換えにお客の手相を見ようと申し出るのです。私が出会った時、彼女はこのような生活を始めて三年目で、すでに十カ国以上も旅をして素晴らしい人生を送っていました。

風水にも、同じような世界共通の魅力があります。住んでいる家が、良い意味でも悪い意味でも運勢に大きな影響を与えると気がついた人々は、必ずと言って良いほどもっと詳しく習いたいと願うのです。

■風水とは

近年の、風水の人気の急上昇は驚くべきものがあります。私が建物の中を流れるエネルギーの仕組みに夢中になったのは一九七〇年代の終わりで、一九九三年には一般

人を相手に講習ができるほどの知識と技術を身につけました。職業を聞かれて答えると、大概の人は不思議そうな顔をして、

「風……何ですって？」

と聞き返してきたものです。でも近頃では人々は驚かずに頷《うなず》くようになり、会話はそのままスムーズに続きます。今では誰もが一度は風水のことを耳にしたことがあるようです。

風水とは、環境の中にある自然のエネルギーをバランスよく調和させ、日々の生活に良い影響をもたらすためのものです。この自然のエネルギーは古代の人々にはよく知られ、理解されていましたが、その知識を今日でも継承している文化がいくつかあります。

たとえばバリ島では、未《いま》だに目に見える物質的な世界と、見えない霊的な世界のエネルギーのバランスをうまくとった暮らしが存在しています。どこの家でも毎日神棚には供え物が捧《ささ》げられ、調和が崩れないように島の中にある二万もの神殿では美しく力強い儀式が行われているのです。

私にとっては、これが最高の風水です。何かの目的のために個々の建物に工夫がほどこされるのではなく、島全体に住む三百万人の人々が土地の神聖さに共鳴して、風水を人生そのものとして受け入れているのです。もっともこのところ、バリ島のスピ

リチュアル文化にも物質主義が浸透してきて、あと十年か二十年ほどでその良さが消滅してしまうかもしれません。でも、その土地に行ってみればまだその力の多くを感じることができるはずです。

■私の風水へのアプローチ

私の風水のやり方は、他の風水師と違うことが多いようです。というのは、私はそれぞれの個々の空間のエネルギーに直接関わるからです。私にはエネルギーそのものを見て、聞いて、臭いを嗅ぎわけ、味わい、知覚する高い能力があります。ですから相談を受けた時に最初にやることは、建物の中を歩き回って手でエネルギーを読み取ることです。

過去にそこで起きた出来事は、壁や家具などに微量のエネルギーとして記録されていて、それを読み取ることによって過去に起きた主な出来事を全て感知することができるのです。トラウマ的、悲劇的な出来事はもっとも深く記録され、現在の住人に強い影響を与えます。またエネルギーの流れが滞っている場所を見つけて、改善する方法を指導することもあります。

不要なものが溜《た》まったところに入ったときのエネルギーフィールドは、間違いようがありません。この目に見えない蜘蛛《くも》の巣に手を這《は》わせると、エネルギーの流れが滞った、不快で粘っこい、不潔な印象を感じるのです。それによって私は、不要なものは人々の生活に悪影響を与えることに気がついたのでした。誰かの家にいらないものが溜め込んであると、たとえそれが見えない場所に隠してあっても、独特の不快な臭いが漂ってくるのでわかります。

実を言うと意識してチューニングすれば、近くに立っている人の発するエネルギーフィールドから臭いを嗅ぎ取ることもできます。このような臭いは、本人のエネルギーフィールドにしみ込むのです。でも皆さんが私に会うことがあっても、心配することはありません。世の中は不要なものだらけですから、このようなチューニング・モードに入ることはめったにありません！

ありがたいことに、この不快なエネルギーと臭いは、それらのガラクタを処分した時にきれいさっぱりなくなるのです。

■風水定位盤

風水のもっとも興味深い部分の一つでもあり、この本でも何度も出てくるのが「風水定位盤」です（第八章参照）。これによって、あなたのいる建物のどの部分がどのように人生に影響を与えているのか知ることができるのです。

たとえば、あなたの家の中に繁栄をつかさどる場所があります。風水に興味を持って講習を受け、エキサイトしてそれを手早く実行に移そうとする人たちは大勢いますが、そのほとんどが、まず家の中から不要なものを片付けなくてはならないということに気がついていません。繁栄をつかさどる部屋の隅に鏡を置けば良いという話を耳にしたことはあるでしょう。でもその隅に、「ガラクタ」が積まれていたとしたら、どうでしょう？

残念ですがそこに鏡を置くことで、問題を解決させるどころか、経済的な問題を倍に増やしてしまうのです。

この本は風水の「不要なガラクタを整理する」という部分に焦点を当てています。風水の効力を得るために、これを避けて通ることはできません。本書はこのテーマについて掘り下げた初めての著書であり、風水の初心者にとっては理想的な入門書に、中級者にとってはかけがえのない知識となるでしょう。

本書の中では主にあなたの住居を対象に書きましたが、もちろん職場でも、それ以外であなたが滞在する建物にも当てはめることができるのです。

■スペース・クリアリング

スペース・クリアリングとは、風水の知識を身につけながら私が考え出した言葉で、今では私の名前もこの分野でもっともよく知られるようになりました。これは建物の中のエネルギーを浄化してクリアにするという手法で、私の一冊目の著書『ガラクタ捨てれば未来がひらける』（小学館文庫）も、これについて書いています。この本が出版されてからというもの、エネルギーをクリアにする手法が一般的にスペース・クリアリングと呼ばれるようになったのです。でも本書で紹介する手法が、私がお約束できる唯一の効果的な方法であり、本書の中でスペース・クリアリングといえばそれを指しています。

順調な人生を歩むためには、自宅と職場の両方に良いエネルギー、「気」の流れを作ることが大切です。風水はエネルギーの流れを良くする方法について色々教えてくれますが、スペース・クリアリングは中でももっとも効果的な方法なのです。建物の中に滞り、あなたの人生をも滞らせていたエネルギーの流れを改善させる、シンプルながらパワフルな儀式です。その効果はとても強力で、大勢の人々がスペースを物理的にもエネルギー的にも清涼に保つため、これを定期的に実行しています。どれほどうまく設計された建物であろうとも、スペース・クリアリングを定期的に実行することによって恩恵を受け、風水の効果もより強く、早く表れます。

スペース・クリアリングの対象となる、エネルギーの滞りには主に三つの理由があります。

＊物質的な汚れ
＊残留したエネルギー
＊不要な「ガラクタ」

物質的な汚れ

これはあらゆる種類の汚れ、埃《ほこり》、汚物、ゴミなどのことです。古い格言で「きれい好きは信心深さに準じる」とあるように、低級なエネルギーは常にゴミの周辺に溜まってくるのです。

残留したエネルギー

建物の中で起きた出来事は、すべて壁や床、家具や室内の物質に記録されています。これらは汚れと同じように何重にも積もっています。私たちの目には見えませんが、その影響は決して小さくありません。たとえばあなたの前の住人が、そこの家で幸せな結婚生活を送っていたとすると、次に引っ越してきたあなたも、同じように快適な結婚生活を送る可能性が高いのです。ですがその一方、仮に前の住人が不幸だったり、離婚、破産、肥満など、その他多くの理由で苦しんでいたりしたとしましょう。これらのエネルギーは建物に蓄積して、次に引っ越してきた住人も同じ運命に見舞われることが往々にしてあります。物事を停滞させる、この残留波動は、ぜひとも浄化しなければなりません。

不要な「ガラクタ」

あらゆる種類の「ガラクタ」は、空間のエネルギーがスムーズに流れる妨げとなります。そして住人の人生を停滞させたり、混乱させたりするのです。

滞ったエネルギーを浄化させるスペース・クリアリングの儀式は数時間で終わりますが、大掃除やガラクタ整理にはもっと時間が必要な人もいるでしょう。実際のところ、私の最初の本を読んだ読者が「ガラクタ」処理の章にたどり着くと、続きを読む態勢が整うまでに半年間もかかったという話をよく聞きます。次にあげるような手紙を、よく受け取るのです。

ようやく不要なものを片付けて、スペース・クリアリングの準備ができました。過去半年間に、すべての戸棚の中を整理しただけではなく、自分の人生を整理したような気持ちになりました。すでに私はここ何年もの間でもっとも気分が良く、健康な状態になっています。

――あなたの本の「ガラクタ」に関する章を読み、私は現在、十四個目のゴミ袋を使用中。まだまだ続きそうです。何年も片付けろとうるさく言い続けていた夫は、驚いて言葉もありません。

――ファイリングキャビネットを整理していたら、四千ドルもの価値がある証券が見つかりました！　あなたの本を買った価値は十分にありました。

次の章ではもう少し詳しく、あなたの愛すべき「ガラクタ」がなぜ人生の助けではなく障害になっているのかということについて、説明をしていきましょう。

第二章

「ガラクタ」の抱える問題

風水、スペース・クリアリング、「ガラクタ」クリアリングのコンサルティングを世界中で行いながら、これまで色々な人の家を訪ねました。このような状況でなければ決して見せてはもらえないであろうというような場所まで、のぞかせてもらいました。この風変わりな（そして時には信じられないような）特権のおかげで、何年かたつうちに私は、不要なものが、どのような問題を引き起こすのかを知るに至ったのです。

■ガラクタと風水

まず風水にとって、「ガラクタ」を片付けること（クリアリング）がどれほど大切な基本であるかを認識する必要があります。これまで出版された風水の本では、それについてさっと触れるかまったく触れないかのどちらかでした。著者は読者が、「ガラクタ」の問題はすでに自分で解決しただろうと思っていたのかもしれません。ですが現実には、解決していない人がほとんどなのです。

私にとって、風水と「ガラクタ」の整理は別々なプロセスではありません。これまでの経験によって、不要なもののクリアリングはもっとも効果的な風水の方法の一つであり、これを終わらせるまでは風水の効力は最小限に留《とど》まると実感しているのです。もしあなたが今までこのことを知らずに何年も風水を実行してきたのなら、不要なものを片付けた時にどれほど良い変化があるかに驚き、喜ぶことでしょう。もしあなたが風水の初心者ならば、この手法のもっとも大切でもっとも基本的なステップがすぐにも実行できることに、喜びを感じるに違いありません。

■「ガラクタ」とは、エネルギーの渋滞である

「ガラクタ/Clutter」とは、古い英語の「Clotter」から来ていて、凝固した、要するにこれ以上詰まることはできないというほど詰まった状態を言います。

「ガラクタ」はエネルギーが滞った時に溜《た》まり始め、同時に、いらないものが集まるとエネルギーが滞ります。「ガラクタ」とはあなたの人生の状態を示す症状の一つですが、そのうちそれ自身がさらに濁ったエネルギーを呼び集めるため、いずれ問題そのものになっていきます。

あなたも見たことがあるでしょう。道路を歩いていると、空になったタバコの箱を無神経に歩道に投げ捨てる人がいます。次の日に同じ場所に行ってみると、その空箱の周りには違うゴミが集まっています。そしていつの間にか、その場所はちょっとし

たゴミ溜め状態になってしまうのです。「ガラクタ」は、あなたの家に同じ現象を起こします。最初はほんの少しのことから始まり、どんどん溜まっていくにつれてエネルギーがそこに滞り、あなたの人生に影響を及ぼすのです。

もし人生に新たな進展があれば、本能的に家の中のいらないものを整理して心機一転をはかろうとするでしょう。それはごく自然なことだと感じるに違いありません。「ガラクタ」に対する一つの対処法は、自分を成長させる努力をしながら、もうこれ以上不要なものに囲まれているのは我慢ならない、という気分になるまで待つことです。世の中には自己啓発の書や、自分を成長させるための講習会などが山ほどあります（私もそのような努力をすることをお奨《すす》めします！）。

でもこの方法で、家の中を整理しようという気になるまで待つのは、少々時間がかかります。

私がこの本の中でお奨めしているのは、新しい方法——身の回りの整理整頓をすることによって、人生の整理整頓を行うということです。

その結果、あなたの人生に新たなエネルギーが入り込んでくるという効果は、絶大なものがあるのです。

これはあなた自身の成長のために、とても現実的で実用的なことです。

でも「ガラクタ」という滞ったエネルギーは、ネバネバしているのでなかなかあなたのもとを去ろうとしません。あなたが腰をあげてこれらを整理するには、かなりの決意が必要となるのです。

次の章では、そのことについて詳しく述べましょう。

第三章

「ガラクタ」を整理する効力

あなたの人生はあらゆる面で、住んでいる場所に反映しています。ですから「ガラクタ」を整理することは、あなたの存在そのものを全て変貌させるのです。

■人生を整理する

一九八〇年代当時、私はロンドンでもっとも成功したプロのRebirther/リバーサーの一人でした（リバーシングとは、呼吸法で体の中に閉じ込められたエネルギーを放出する方法です）。いつも他人にアドバイスを与える立場で、ある日ことさら人生に行き詰まったクライアントに追加の「宿題」として、家の中の整理をすることを薦めました。そして彼らは持ち物の整理をするうちに、人生も整理する方向へと進んでいったのです。かなり重症の場合は、その日のセッションの終わりに、次の週は私の家ではなくクライアントの家でリバーシングを行いますと宣言しました。私の家の居心地と、自分たちの家の居心地がどれほど違うかに気づいた彼らは、おそらく恥じ入って行動を起こしたのだと思います。

特に心に残っている、長い付き合いだったクライアントは、ヘロイン中毒から回復中の若い女性でした。何度か彼女が後退した後、私はもっと厳しい方法を使わなければならないことに気がついたのです。私は、彼女の家でやるのでなければもうこれ以上セッションは行わないと宣言し、自宅をリバーシング・セッションができるような環境にして、中毒から回復する意志があることを私に証明してみせなくてはならないと告げたのです。

これは彼女にとって、大変なことでした。この時期すっかり自尊心を失っていたので、まるでゴミ溜めのようなところで暮らしていたのです。でも強い意志を持って掃除を行い、数週間後には私を自分のアパートに招待してくれました。彼女がどれほど努力をしたかは一目瞭然で、またこの数週間の彼女自身の変わりようも驚くべきものでした。それから数回のセラピーで、彼女は目覚ましい進歩を遂げました。

その数年後、私はある場所で彼女と偶然に行き会いましたが、最初は本人だと気がつきませんでした。彼女は生きる喜びにあふれた美しい女性に変身していて、前から夢見ていた職業について成功していたのです。彼女はあのセッションが転換のきっかけだったと言い、あの日以来ヘロインに触ったことも、過去を振り返ったこともないと私に語りました。「ガラクタ」を一掃することで、彼女は人生も一掃したのです。

あなたとあなたの家

「ガラクタ」のクリアリングがこれほど効果的なのは、あなたが自分の外側を整理していくと、同時に内側も整理されていくからなのです。あなたの周り全て、特に住んでいる家と環境は、同時にあなた自身の内面を反映しています。ですから家を整理することで、あなたの人生にはこれまでと違った可能性が湧いてくるのです。調和のとれたエネルギーの流れを邪魔していた障害物を取り除くことで、あなたの人生には新たなチャンスがめぐってくる余裕ができてくるのです。

やってみましょう！

私の講習を受けたある女性はとても張り切って、家に帰るとすぐに近所のチャリティ・ストアに電話をし、「トラックを一台よこしてちょうだい！」と告げました。タンスの中から洋服五点だけを残して、古いステレオセットなど、積もり積もっていた「ガラクタ」類をすべて処分したのです。このプロセスによって彼女は滞っていたエネルギーを解放し、新しいものが入ってくるスペースを作り上げました。

それから一週間後、彼女のおかあさんから五千ポンドの小切手が届きました。そこで彼女は新しいすてきな洋服を一揃《ひとそろ》い、新しいステレオセット、それ以外の前から欲しかったものを全て買ったのです。

彼女によると、この小切手はまったく予想外のもので、その前におかあさんからお金をもらったのは、十年前のことだそうです。全ての人に同じことを薦めはしませんが、この方法は彼女にはとても効果がありました。

私のもとに届いた、こんな手紙もありました。

五ヶ月前に母を亡くしてから、私には何か立ち直るきっかけになってくれるものが必要でした。あなたの本を手にして、すごくエネルギーを得てエキサイトしました。二十年間埃《ほこり》をかぶっていた「ガラクタ」を整理したのです！　何袋ものゴミを処理し、慈善団体に寄付するものはまとめました。この仕分け、処分、掃除をしていた月に予想していなかった五千ドルの小切手が届き、三千ドルの遺産分与の話が持ち込まれ、四百ドル分の商品券を見つけ、それまで知らなかった毎月の収入のことを聞かされ、七十五ドルほどの小銭を集めたのです。もちろん追加の収入は素晴らしいことですが、何よりもエネルギーが湧いてきて心が落ち着いたことが嬉《うれ》しかったのです。私は家にいて幸せで居心地よく感じています。風水の本を読んで、自宅と学校のスペースにそれを適用させています。きっかけを作ってくださって、ありがとうございました！

このような手紙が毎日私の郵便箱に届き、本書を書こうというインスピレーションを与えてくれました。もちろん「ガラクタ」整理に、こうした予想外の収入が伴うわけではありません。でもいかにこの効果が現実的なものかをお知らせしたくて、この手紙を選びました。

第四章

「ガラクタ」とは

オックスフォード英語辞典によると、「ガラクタ」（Clutter）とは「整理されていないまま山積みになったもの」だそうです。もちろんそれらも「ガラクタ」のうちですが、これは物質的な部分の説明に過ぎません。

私が言う意味の「ガラクタ」とは、四つのカテゴリーに分類されます。

＊あなたが使わないもの、好きではないもの
＊整理されていない、乱雑なもの
＊狭いスペースに無理に押し込まれたもの
＊未完成のもの、全て

この章では、あなたのクリアリングがどこに焦点を置いて行うべきか確認をするために、これらのカテゴリーを一つ一つ吟味していきたいと思います。

■使わないもの、好きではないもの

あなたが好きなもの、使うもの、愛用しているものはその周りに強い快適なエネルギーを振りまいています。あなたが目的意識をはっきり持ち、これらのエネルギーを放出するものに囲まれていたら、人生は自然に良い方向へと展開していくでしょう。それとは逆に、無視されてきたもの、忘れ去られているもの、いらないもの、好きではないもの、使わないものは家の中のエネルギーを滞らせて、あなたの人生そのものもあまり進展がなくなっていくのです。

あなたとあなたの所有物は、エネルギーの細い糸で結ばれています。家の中が好きなもの、よく利用されるもので満ちていると、あなたの人生に力強いサポートと養分を与えてくれるのです。その一方、「ガラクタ」はあなたのエネルギーレベルを落とし、長く溜《た》め込むほど影響は大きくなっていきます。人生にあまり意味のないもの、重要ではないものを処分することによって、あなたは体も、心も、そして魂も軽くなることでしょう。

■整理されていない、乱雑なもの

このカテゴリーは世界中にいる、整理整頓が苦手な人のためのものです。たとえあなたが本当に好きなもの、使うものだけ身の回りに置いていても、それが部屋中に無秩序に散らばっていて必要な時に見つからないという状態であれば、それはやはり「ガラクタ」になってしまいます。あなたはおそらく整理が苦手な人の常として、散らかしている中にもそれなりの秩序があり、重要なことを忘れないように目につくところに置いてあるのだと言うでしょう。でも誰かがあなたをテストして、何かのある場所を聞いてきたら、大体の方向を示すのが精一杯で正確な位置を当てるのは難しいのではないでしょうか。

何をどこにしまってあるのか把握しているほうが、人生はスムーズに進みます。たとえばあなたのベッドについて考えてみましょう。ベッドとあなたのエネルギーのつながりは明らかです。あなたが遊牧民でもない限り、あなたはベッドの場所を常に正確に把握していて精神的にそれとつながっています。では家の鍵について考えてみましょう。あなたはそれがどこにあるのか、すぐにわかりますか？　それとも頭の中であれこれ考えてみなければわかりませんか？　支払わなくてはならない請求書などはどうでしょう？　どこにあるのでしょう？

あなたとものがうまくつながっていないと、その関係はまるでこんがらかったスパゲッティのようになります。ものの場所が把握できていれば心は平和で明晰《めいせき》に保たれますが、わからないと人生にストレスと混乱をもたらすのです。

このカテゴリーでいう「ガラクタ」とは、置き場所の定まらないものか、あるいはあるべき場所に置かれていないために混乱状態になっているもののことです。それらは必要な時には見つからず、偶然見つけた時にだけ姿を現します。それはある日届いて部屋の隅に置き去りにされた手紙だったり、どこからか現れて整理ができないうちに山積みとなった書類だったりします。また衝動買いの結果でもあります。家に持ち帰ってきて「とりあえずここに置いておこう」と思い、そのまま放置。時には何ヶ月も、何年も、何十年もしっくりこない場所に置き去りにされ、あなたはそれを見るたびに心のどこかで何とかしなきゃ、と思うのです。

さて、私は何も潔癖症になれと言っているわけではありません。片付きすぎている、まるで味もそっけもない家はエネルギーが貧弱で、ゴミ溜めのような家と同じくらい問題があります。ですがあなたの家はあなたの内面をそのまま現したものですから、部屋がゴチャゴチャしているのは、あなたの精神もゴチャゴチャしているということ。外側をきれいに整理していくことで、あなたの内面もきちんと整理されていくのです。

■狭いスペースに無理に押し込まれたもの

時には単にスペースの問題だったりします。あなたの人生や家族は膨張しているのに、住んでいる家のサイズがそのままだったり、あるいは最初から手狭すぎる家だったりなど。整理棚を工夫して使うことはできますが、住むスペースにものを押し込めば押し込むほどエネルギーの流れは悪くなり、何かを達成することは難しくなります。このスペースにしてこの荷物という状態になると、あなたの家は息苦しくなり、呼吸は浅くなっていきます（最後に深呼吸をしたのは、いつのことですか？）。そして結果的に、人生で成し遂げようとすることにも限界を感じてくるのです。

これを解決する方法はもっと広い家に移るか、あるいはものを減らすこと。どちらにしても、驚くほど気分は改善するでしょう。

■未完成のもの、全て

このカテゴリーの「ガラクタ」はほかのものと比べてあまり目立たないので無視しがちなものですが、その影響力といったら巨大なものです。未完成なものは全て、あなたの肉体、精神、心、魂の「ガラクタ」となって積もるのです。

家の中で半端にしておいたものは、人生の中で半端にしておいたものであり、それによってあなたはどんどんエネルギーを吸い取られていきます。

壊れた引き出し、水漏れする蛇口など小さなものから、家の中の模様替え、セントラルヒーティングと冷房の設置、ジャングル化した庭の手入れなど、大きな課題もあります。その対象が大きければ大きいほど、あなたの人生に与える影響も大きいのです。

とれたボタン、かけなければならない電話、清算しなくてはならない人間関係など、これらのものを放っておいては、人生の前進の妨げになるでしょう。無視することもできますが、それには膨大なエネルギーを消費します。

未完成の仕事を片付けるとどれほど新たにバイタリティが湧き出てくるか、きっと驚くことと思います。

次の章では、これらの「ガラクタ」がこれまで想像もしたことのない状態でどのように影響を与えているのかを説明しましょう。

第五章

「ガラクタ」の与える影響

「ガラクタ」がどれほどあなたに影響を与えるのか、わかっている人はほとんどいません。

あなたは家中の所持品を財産だと思って好ましく思っているか、あるいはきちんと整理さえすればひと財産になるだろうと考えているかもしれません。なくなればどれほどすっきりした気分になるかは、片付けてみないことにはわからないのです。

いらないものが与える影響は、あなたがどのようなタイプの人間で、「ガラクタ」がどのくらいの量があり、家のどこに保管して、どのくらいの期間所持しているかで変わってきます。これからあげるのは、その影響のいくつかです。

■持っていると、疲労感をおぼえ、無気力になる

「ガラクタ」に囲まれている人は、片付けるエネルギーはとてもないといいます。彼らは常に疲労感に悩まされているのです。実際のところ、「ガラクタ」の周りで滞ったエネルギーは人に疲労感を与え、無気力にするという影響があります。

これらのものを片付けることにより、あなたは家にこもっていたエネルギーを解放

させ、体に新しいバイタリティを注ぎ込みます。以下は、私のもとに届いた人々からの声です。

夜遅くまであなたの本を読んでいて、とても「変な」気分に陥り、眠れなくなりました。そこで起き上がって、明け方の四時まで家の中を片付けたのです！　次の日は仕事でしたが、まったく疲れを感じませんでした。

最初は自分の溜《た》め込んだ「ガラクタ」の量に圧倒されそうでしたが、片付けなければならないことはわかっていました。引き出しを一つきれいにしていくごとに気分が良くなっていき、次に進むエネルギーがどこからともなく湧いてくることに驚きました。

私と夫は、あなたの「ガラクタ」のクリアリングに関する本を何度も繰り返し読みました。私はこれまで何年もの間、夫が抱えている精神的な重荷、所持品などを整理することを薦めてきました。私があなたの本を読んでから、夫に何行か声に出して読んで聞かせると、夫がこれまで見たこともないほどやる気を出したのです。彼はものすごい勢いでガラクタを処分してしまい、私たち二人とも信じられない思いでした。彼は以前よりずっとエネルギッシュになり、本も最後まで読み終えたのです！

■ガラクタはあなたを過去にしばりつける

保管場所が「ガラクタ」でいっぱいなのは、人生に新しいものが入り込む隙間がないということです。あなたの心は過去のことにとらわれがちで、昔からの悩みを何度も蒸し返します。未来よりも過去のことばかり考えて、明日の向上のために人生の責任をとる覚悟をする代わりに、状況を過去の出来事のせいにしがちになります。いらないものを一掃すると、前に進むために抱える問題と正面から向き合う気力が生まれてくるのです。明るい未来のためには、過去を清算しなくてはならないのです。

■体の働きも滞らせる

いらないものをたくさん溜め込むと、家にエネルギーが滞るだけではなく、体の働きも滞ります。「ガラクタ」にとらわれた人は運動不足に陥りやすく、便秘がちで、顔色もさえずに目に光がありません。家の中が整理整頓されている人は一般的に活動的で、血色も良く、目がきらきらしているのです。どちらを選ぶかは、あなたしだいです。

■あなたの体重にも影響を与える

家に「ガラクタ」を溜め込む人は往々にして体型も肥満気味であるというのは、私がこれまでの経験で気づいた興味深い事実です。これはおそらく「ガラクタ」も、体の脂肪も自己防衛の手段であるからなのでしょう。体に脂肪の層を溜め、「ガラクタ」を溜め込むことによって、人は人生の試練が与える精神的なショックを和らげようとしているのです。不要なもので身の回りを固めることにより、どんな出来事からもあまり決定的なダメージを受けていないという幻想を抱いているのでしょう。でもそれはただの幻想でしかありません。米国で人気ナンバーワンのテレビトークショーの司会者、オプラ・ウィンフリーはこのようなことを言っています。

過去にさんざん体重で悩んだ末に気がついたのは、恐れの原因を心の中から取り除かない限り、肉体をコントロールすることはできないということでした。人生が向上していかないのは、私たちが本来こうであるべき自分になることに恐怖心を抱いているためなのです。

体重オーバーの人たちが余分なものを落とす決心をするためには、心の底にある恐れを克服しなくてはならないというのは私もまったく同感です。いらないものを整理した後でどれほど開放感を味わったか、そして同時になぜか体の余分な脂肪も落ちていったという報告の手紙を私はよく受け取ります。さらに多くの人たちが、体の減量よりも「ガラクタ」の減量のほうがずっと簡単で、身の回りをきちんとすると、なぜか体の管理もきちんとできるようになると告白しています。ある女性は、「家の中のいらないものを処理すると、体にもいらないものを与え続けるのは間違っていると感じるようになりました」と表現していました。

■混乱のもとになる

周りが「ガラクタ」で囲まれていると、あなたの人生がどのような状態なのか明確に把握することが難しくなります。身辺をきれいにすると風邪をひくことも少なくなり、判断力もより明確になります。いらないものを整理するのは、新たな発見と自分が理想とする人生を始めるために、私が知っているもっとも効果的な方法なのです。

■人々の対応にも影響を与える

世間の人は、あなたが自分を扱うようにあなたを扱います。あなたが自分の価値を認めて自分を大切にしていれば、人もあなたを大切にしてくれるでしょう。もしあなたが自分をほったらかしにして身の回りをゴミだらけにしていると、周りにはあなたを不当に扱う人々が集まってきます。潜在的に、それが自分に相応《ふさわ》しいのだと思ってしまっているのです。

「ガラクタ」を溜め込んでいるだけでなく、整理整頓が悪いと、友人たちはたとえあなたが好きでも尊敬の念を抱いてはくれません。整理が悪いためにいつもものごとを延期したり、約束を守らなかったりしていたら、なおさらです。家の中を整理すると、自然に人間関係も向上していくのです。

■何事も延期しがちになる

「ガラクタ」をたくさん溜め込むと、あなたは全てのことを次の日に延期するようになっていきます。「ガラクタ」の鬱積《うっせき》したエネルギーが、あなたを怠け者にするのです。

クリアリングを行った後のあなたは、自分でも（そして他の人も）驚くほど精力的になり、長年延期してきたことに取りかかりたくなるでしょう。人々は突然、庭の手入れを始めたり、何かの講座に参加したり、友だちに連絡をしたり、旅行に出かけたりし始めるのです。クリアリングの効力について私が受け取る手紙には、驚くようなことがたくさん書いてあります！

——夫が五年前に他界し、私は彼の所持品を片付けるのをずっと延期してきました。あなたの著書を読んで、私はようやく彼の衣服を箱に詰めて近所のチャリティ・ショップに持ち込む勇気を得ました。それは私の人生に新しい風を吹き込ませたのです。この年齢にしては驚くべきことに(私は七十一歳です)、私は大学でコンピューターの勉強をし始めたところです。

——屋根裏の整理をするうちに、海外に移住した古い友人の手紙を見つけ、長い間音信不通にしていたことを後悔して涙が出ました。私は屋根裏をピカピカにした後、飛行機に乗って友人に会いに出かけました。再会の素晴らしさは、言葉に表すことができません。今ではその国に私も引っ越そうかと真剣に考えているところです。

——「ガラクタ」のクリアリングは体の中に浸透するようです。私は家中の戸棚の整理をしただけでは飽き足らず、今では毎朝日の出とともに起床して庭の手入れをしています。いったいどこまでやるつもりなのでしょう?

■不調和が起きる

「ガラクタ」は家族間、ルームメイト、同僚の間で論争が起きる最大の原因です。あなたが膝まで「ガラクタ」に埋もれた生活をしていると、周囲の人々の生活があなたの迷惑になることはありませんが、あなたは確実に周囲に迷惑をかけています。

不要なものを処理すると、あなたが他の人と高いレベルで協力関係を築くことが可能になり、「ガラクタ」のために言い争いをしているよりも実りある関係を築くことができるのです。

■自分を恥じるようになる

あなたはおそらく家があまりにも乱雑になっているので友人を家に招くことすらできず、誰かが突然遊びに来たらパニックに陥るでしょう。「ガラクタ」と一緒に孤独な人生を送ることと、気持ち良い大掃除を行って自分を尊重する気持ちを取り戻し、豊かな社交生活を送ることと、どちらを選びますか？

■人生の展開が遅くなる

私が知り合ったすてきな老夫婦は、十五部屋もあるきれいな邸宅に住んでいました。

子供たちはすでに皆独立し、彼らは幸せで愛情に満ちた結婚生活を送っていたのです。リビングルームと、それぞれの子供たちが使っていた寝室はきれいに整理されていました。ですが年月がたつうちに、彼らの寝室と他の三つの部屋は「ガラクタ」でいっぱいになってきたのです。ある部屋は装飾品とありとあらゆるものが重なってまるで古道具屋のようになり、ある部屋は腰の高さまで洋服で埋め尽くされ、三つ目の部屋はそれぞれの持ち物と叔母から相続されたものが箱に詰められたまま「未処理」になっていて、足の踏み場もないほどでした。

誰かに聞かれると、二人は残された人生をゆったりと旅行でもして暮らしたいと言うのですが、頭の隅にはいつもこの「ガラクタ」の部屋のことがありました。旅行に出かける話が持ち上がるたびに、二人は家をきれいに整理してからにしようということになるのです。そのために、この「ガラクタ」は二人を何年も家に閉じ込めたままでした！

人生を無為に過ごしてはいけません。机に向かって、家が整理できたらやりたいことをリストにしてみましょう。そしてそのリストを、大掃除に取りかかるための励みにするのです。

■気分が鬱になる

「ガラクタ」の鬱積したエネルギーは、あなたのエネルギーを奪い取って落ち込ませることもあります。実際の話、鬱状態になった人で身辺に「ガラクタ」が積み重なっていない人にはまだ会ったことがありません。不要なものが溜まるにつれて無力感はひどくなりますが、それを処理して新しいエネルギーが入ってくる空間を作ることで、かなりのところまで回復するのです。この手法がうまくいく理由は、鬱の多くは、あなたの内なる存在が新しいことをあなたにさせるため、それまでやっていたことをやめさせようとしているためだと私は思っています。

もしあなたの落ち込み状態が激しくて整理を始めることなど考えることもできなければ、せめて床の上に落ちているものを拾いましょう（鬱状態の人たちは、低い場所にものを溜め込むことが多いのです）。それによって、少し気分もエネルギーも上向きになります。

また家の磁場（地球から放出される有害なエネルギー）を調べるのも、一つの手です。「ガラクタ」は磁場の悪い場所に集中しがちで、あなたの鬱病もそれに影響を受けているのかもしれません。詳しくは、私の著書『ガラクタ捨てれば未来がひらける』の「ジオパシックストレス」の章をご参照ください。

■超過荷物になる

あなたが家に「ガラクタ」を溜め込む人ならば、おそらく旅行の荷物も多いでしょう。「ガラクタ」にとらわれた人は、旅行に出かける時も「もしかしたら使うかもしれない」荷物をたくさん引きずって歩き、お土産も買いすぎて航空運賃の超過料金を支払うはめになるのです。彼らは精神的にも超過荷物を抱えています。もぐらが作った土の塊が巨大な山に思えたり、想像を膨らませて大げさに悲しんだりしていませんか？　物理的に軽くすることで心も軽くなり、人生はもっと楽しくなるのです。

■感性が鈍り人生の楽しみを味わうことができなくなる

「ガラクタ」は音をブロックし、家の環境を悪くすると同時に、人生を楽しむ感性を鈍らせます。いつも同じ場所でパターンにはまった生活を、毎日毎日繰り返すようになってしまうのです。もしかすると、とても退屈な人になってしまうかもしれません。「ガラクタ」を片付けると、新たなインスピレーションが生活の中に舞い込むようになります。家の中で定期的に場所を移動させるだけでも、エネルギーが活性化されます。

あなたが人生に情熱、喜び、幸せを求めているのなら、本格的な大掃除をすることは絶対に必要です。これらの感情には体の中に活発なエネルギーがめぐることが必要で、その回路が滞っていては決して味わうことができません。

■整理整頓ができなくなる

鍵が見つからない、メガネを失《な》くした、お財布を見失ったということが、これまでしばしばありましたか？　捜しものが見つからずについに諦め、何週間後、あるいは何ヶ月後かにどこからともなく出てきたということが、今まで何度ありましたか？　あるいは捜し続けるよりも、新しいものを買ったほうが早いという経験がありますか？

整理整頓ができないと時間が無駄になり、まるで自分が人生の落ちこぼれであるかのような気分になります。若い頃に両親に反抗するために部屋をグチャグチャにしていたという人は大勢いますが、大人になってもその習慣を続けることは、人生に足枷《あしかせ》をはめていることにしかなりません。子供時代の未解決問題を一生引きずらないで、自分の家を自分で管理し、気に入った状態にしておくことで、力が湧いてくるものです。

■健康に悪く、火事の危険性を招く

ここまでいくこともあるのです。「ガラクタ」が悪臭を放ち始め、ばい菌を培養し、湿気を含んで腐り始めたら、それはあなたにとっても近所の人たちにとっても非衛生的です。溜め込んだものの種類によっては、火事の危険性を倍増させます。あなたにとって健康と安全、そしてご近所と良い関係を保つことが大切ならば、これ以上ひどくならないうちに片付けましょう（気がついたら自然にきれいになっていた、なんてことは絶対にないのですから！）。

■好ましくない信号を発する

あなたの「ガラクタ」は、どのような信号を発しているでしょう？　飾る絵や写真など、身の回りの装飾品は様々なメッセージを発していますから、注意して選ばなくてはならない、と風水は教えています。本人がもう明らかに不要としている信号を発しているものなのに、感傷的な理由でそれをとっておこうとする人が多いことには、とても驚かされてしまいます。

わかりやすい例をあげましょう。あなたが独身でパートナーを探しているのなら、一個だけの装飾品や一人だけが書いてある肖像画などを飾るのをやめて、ペアの装飾品、あるいはカップルが描かれている絵や写真を飾ってください。あなたが言い争いが嫌いなら、インテリアにあまり赤を取り入れてはいけません。気分が落ち込んでいたら、下向きにぶらさがっているもの全てを部屋から取り除いて、エネルギーの向上をはかるために上向きの形のものを置いてください。

第十五章の、「『ガラクタ』と風水の象徴学」を読んでみると、あなたの「ガラクタ」が好ましくない信号を発していることに気がついて、いっきに処分したくなるかもしれません。

■お金がかかる

ものを溜め込むことは、実際どのくらいお金がかかるものなのでしょう？　他の理由が全部ダメでも、時にはシンプルな数字が人々の「ガラクタ」を片付けさせる動機になることもあります。

ちょっと足し算をしてみましょう。各部屋に行って、あなたがほとんど、あるいはまったく使わないものが占めているスペースを計算してください。このプロセスは正直に行わなくてはなりません。正確に答えを出したければ、あまり好きではないもの、昨年一度も使わなかったものも入れてください。もう少しお手柔らかにいきたければ、使わなかった期限を二、三年延ばしても構いません。平均サイズの家ならば、大体次のようなものができるはずです。

1	玄関先	5%
2	居間	10%
3	ダイニングルーム	10%
4	キッチン	30%
5	寝室1	40%
6	寝室2	25%
7	物置部屋	100%
8	バスルーム	15%
9	倉庫	90%
10	屋根裏部屋	100%
11	庭の道具小屋	60%
12	車庫	80%
	ガラクタの総量	565%

さて部屋数でスペースの総量を割ってみましょう。
５６５％　÷　十二部屋　＝　平均一部屋に47％の「ガラクタ」が！

この例によると家賃、あるいはローンの支払いのうち47％が「ガラクタ」の保管のために使われているのです。あなた自身の見積もりも、ぜひやってみることをお奨《すす》めします。

もしかすると、あなたは家からものがあふれて倉庫を借りる段階までいっているかもしれません。貸し倉庫の経営者たちは、近年このビジネスが目覚ましく伸びていると言います。都会では、安全な倉庫を借りるために何ヶ月も前から予約しておかなくてはなりません。このようなことにお金を使う必要が、本当にあるのでしょうか？お金を使うのなら、もっと他に有効な使い方があるのではありませんか？

これ以外でも、「ガラクタ」を溜め込む習慣は無駄なお金が出ていくもとになります。それらのものを買う時に使う時間とお金、そして家に帰ってきた時にそれを置く場所を探す時間。

さらに、それらを保管するためにものを買う場合もあります。保管用のボックス、棚、洋服ダンス、引き出し、書類用キャビネット、トランク、さらに極端な場合は家の改装、庭に建てる物置、屋根裏の床張り、あるいは二つ目の車庫を作るなど。これらの場所をきれいにしておくための清掃費、適切な温度と湿度を保つための労力、天候や害虫から守るための努力、そして引っ越す時の費用も全てあなたが払うのです。

あなたはさらに保険をかけたり、泥棒から守るための警備システムを取り付けたりするかもしれません。

最後に、ようやくそれらがあなたの助けになっていないことに気がついて手放す気になった時の時間、費用、精神的なエネルギーというものもあります。そんな犠牲を払う必要が、本当にあるのでしょうか?

これらの費用を総計すると、ものの価値よりもずっと高いことが多いのです。よく考えてみてください。ほとんど使うことのないもののために多大な時間、費用、労力を費やして、理由もないのにそれらを保管する努力を続けているのです!

■大切なことに頭がいかなくなる

あなたがものの主人ですか、それとも、ものがあなたの主人ですか? 所持品の全てはあなたに世話を要求し、「ガラクタ」が増えれば増えるほど、あなたのエネルギーはどうでもよいことに費やされるのです。前の章でも語ったように、全てのものには手間がかかるのです。いらないものを処分すれば、もののお手入れなどに時間を使う代わりに、本当に大切なことに頭がいくようになります。

「ガラクタ」があなたにどのような影響を与えるのか理解すると、ものを保存することに対して新しい視点が生まれてきます。決意を固めるためには、そもそもなぜ人はいらないものを溜め込むのか、理解することが必要です。それを次の章でお話ししましょう。

第六章

人はなぜ「ガラクタ」を溜め込むのか

この質問には一言で答えることができません。でもこの章を読んでいくうちに、きっとあなたにも思い当たる部分があるでしょう。

これまで大勢の人たちに、「ガラクタ」を処理するためのカウンセリングをしてきましたが、「ガラクタ」そのものは問題の物質的な部分でしかありません。「ガラクタ」が溜《た》められた根底には、何層にもわたる理由が横たわっているのです。「忙しすぎる／怠け者だ／ストレスが溜まっている」というような言い訳は、単なるごまかしにしか過ぎません。あなたに「ガラクタ」を溜める時間があるのなら（それは誰にとっても簡単なことです）、片付ける時間だってあるはずです。こうした言い訳は、溜め込む心理的な理由を見つけるのを避けようとする、一時逃れに過ぎません。

先に進む前にまず、私はどんな人もその時点で可能な限りのベストを尽くしていると信じていることをお知らせしておきます。ですから「ガラクタ」（あなたのもの、他の人のものも）についての決断を下して、今すぐに捨ててしまいましょう。それに伴う罪悪感も、ついでに捨ててください。あなたが「ガラクタ」を溜め込んできたのには、それなりの理由がありました。ですからあなたの人生にとって、この「ガラクタ」はお似合いだったのです。たった今までは。

この章の目的は、あなたがなぜ「ガラクタ」を溜め込んだのかを理解する手助けをして、それを処分し、今後は溜め込まないようにすることです。このパターンは潜在意識に深く埋め込まれ、あなたがそれに気がつくまであなたの人生を支配するでしょう。あなたがその存在を意識するようになれば、影響は徐々に薄れ、そのうち過去の自分の「ガラクタ」を溜め込む習性を笑い飛ばすことができるようになるに違いありません。

ではなぜ必要でもないものを溜め込む気になったのか、理由をあげてみましょう。

■「いざという時のために」溜め込んだ

「ガラクタ」を溜め込む人々が、まず一番にあげる理由がこれです。「捨てることなんてできません」と彼らは抵抗します。「だっていつかは必ず必要になるでしょうから」

あなたが定期的に使うものは、どうぞ適度な量、買い置きしてください。でももう何年も保管してきたこれほど多くの○○（あなたに当てはまる言葉を入れてください）が、本当に必要なのでしょうか？

「だってわからないでしょう？」とあなたは言います。過去に何かを捨ててから、それが必要になった体験を思い出しているのです。ではなぜそんなことが起きたのか、どうすれば変えられるのか、お教えしましょう。

「いざという時のために」ものを溜め込むのは、自分の未来に信頼を置いていないことです。ですから捨てたとたんに必要になるのではないか、と心配すれば、それがどれほど些細《ささい》なものであれ、あなたの潜在意識がその通りの状況を作り上げるのです。「いつか必要になるだろうってわかっていたのに！」とあなたは嘆きます。でも考え方さえ変えていれば、そんな状況は避けられたのです。そうなるだろうと信じていたあなたが、その状況を作り出していたのです。いらないものを後生大事に持っているのは、必要な時に必要なものを与えてくれないだろうと天に向かって不信のメッセージを送るようなもの。だからいつも将来の心配をして、精神的に不安なわけです。

自分だけのために心配しているわけではない場合も多いでしょう。他の人が必要になった場合のことも、真剣に考えているかもしれません。

「万が一、誰かが必要になった場合」を考えて、全てのものをとっておくのです。あなたはまだ出会ったこともない人のために、そして決して起きないかもしれない状況のために、ものを保存しているのです。そうしていたら、捨てられるものなど何もなくなってしまいます！

以下にあげたのは、私がこれまで出会った中でももっとも滑稽な、「いつか必要になるかもしれない」ガラクタのリストです。

＊屋根裏に五つの水槽を十五年間保管していた、もともと魚が好きではない男性。

＊台所の棚を天井まで占領していた、空き瓶、マーガリンの容器、卵の空き箱など。結局二十年以上の間、一度も使わなかった。

＊「万が一、彼が気を変えて」女性と結婚する気になり、子供を作った場合に備えて部屋いっぱいのおもちゃを蓄えていた、ゲイの息子を持つ両親。

＊家いっぱいに詰まったガラクタ。持ち主の女性は隣の家を買い取ったのに、新しい家にガラクタを持ち込むのが嫌で、そのままにしていた！

あなたも家中整理すれば、右のリストに加える面白いものが見つかるでしょう。素晴らしいことに、処分したものが突然必要になるという状況は自分が作り出していることに気がつくと、そのようなことは起きなくなるのです。そしてものを処分する決意をすると、二度とそれが必要でなくなるか、必要になった時に前よりも質の良いものが不思議と手元に転がり込むという経験をするでしょう。これにはある種のコツがいるのですが、誰にでも習得できます。あなたの人生に清澄さ、高尚さが増せば増すほど、必要な時に必要なものが手に入るようになっていきます。

■自己存在価値

ものに執着するというもう一つの理由は、あなた自身の存在価値がそれと関わっていると感じているからです。十年前に見に行ったコンサートのチケットの半券を見て、「そうだ。見に行ったんだ」と反芻《はんすう》する。友人がくれた贈り物を見て、「これをくれるほど私のことを気にかけてくれる友人がいる」と感じるというように。これらのものに囲まれていることによって、自分の存在価値をより確かなものに感じているのでしょう。

その品があなたにとってまだ価値があり、人生全体が過去にしばりつけられるほど大量でなければ、楽しかった思い出の品を保管するのは構いません。それらが現在の自分にも相応《ふさわ》しいものかどうか、定期的に整理をしていけば良いでしょう。

このような品々を処分するのには、独特の難しさがついてまわります。あなたがその品物に自分を強烈に投影しているため、それを捨てると自分の一部も捨てるような気持ちになり、友人からのプレゼントだとその人の親切心も捨てているような気分になるのです。

このような複雑な感情が湧き起こるのは、ある程度の根拠があることです。ものに対する執着はある種の波動を発し、よく使うもの、好きなもの、自分で作ったものなどには、本人のエネルギーが浸透します。友人からのプレゼント（特に大切にしていて「あなたに持っていてほしいの」と渡されたようなもの）には、送り主のエネルギーが浸透しています。

人々が泥棒や火事、洪水などの災害で全てを失った時に、精神的にダメージを受ける根底には、このような理由があるのです。彼らは自分や友人の一部が失われたことに対して、嘆いているのです（でもこのようなことは、新たな人生のスタートをする素晴らしいチャンスであるのです）。

でも私たちが素晴らしい人生を生き続けていくために、ものの執着に頼る必要はありません。ものを処分することは、まったく問題ないことなのです。強い執着があるのなら、その品々はもっと良い家にもらわれていくのだと思えば楽になるでしょう。愛情を込めて、それを有効に使ってくれる人にあげてください。そうしているうちに、ものを処分するよりも執着するほうに良心の呵責《かしゃく》を感じるようになるはずです。あなたの執着心は、その品をもっと必要としている人のところにたどり着くのを妨げているのですから。

■社会的地位という見栄

これはいわゆる、「世間体のための見栄《みえ》」というやつで、自尊心をどんどん低くしていく役割を果たします。何も私は、大邸宅に住んでいる人が全て自尊心に欠けていると言いたいのではありません。でも中には単なる「外聞のために」必死で努力を続け、どれほど「財産」が増えても、自分で自己評価を変えない限り満足できない人もいます。

物質欲に支配されている西洋文化の中にいると、自分が誰なのか、なぜ生まれてきたのかということを考えなくなりがちです。往々にして人間を人柄よりも金銭的価値で判断する米国において、それは特に明白です。あなたがそのような理由からものを集めているのなら、単なる幻想の中で生きているに過ぎません。この世を去る時は、誰も何も持っていけないのです。あなたの永遠なる魂の値打ちは、物質的な世界で判断されるのではありません。

■安心感

人間の持つ巣作り本能に従って必要な住まいを作るのは健全なことですが、時にはその要求が脱線していくこともあります。現代社会の広告は、故意に私たちの不安を煽《あお》りたてようとしています。「これを持っていなければ一人前の人間とはいえない」というメッセージが、常に根底に流れているのです。あなたがどれだけ広告の影響を受けているかを確かめるため、今度外出する時はいっさい街頭の宣伝を読まないようにしてみてください。

言葉がわからない外国にいるのでもない限り、これはほとんど不可能なはずです。何十億円もかけているこれらの広告は、実に巧妙に、私たちを調教しているのです。テレビやラジオ、新聞、雑誌、ポスター、車のステッカー、Tシャツ、インターネットなどにあふれた広告はいつも「買いなさい」「買いなさい」と言い続けてきました。

でも真実はこうです。どれほど持ち物が増えたとしても、決してそれで安心することはありません。何かを買ったらそのとたんに、何か「必要」なものが出てくるのです。加えて、あなたはそれをなくしたらどうしようという心配まで抱え込むことになります。私の知り合いの中でもっとも精神的に不安定なのは、億万長者たちです。ものごとは常に移り変わっていくもの。これで絶対安心、というものは単なる幻想に過ぎません。

■縄張り意識というエゴ

あなたが何かを買う決心をした時、どのようなことが起きるのか考えてみましょう。たとえば新しい上着を買いに出かけたとします。気に入ったものを見つけましたが、他にも良い品がないかあたりを見ているうちに、他の人がその上着を手にしようとしています。あなたは心の中でパニック状態に陥り、「あれは私の上着よ」と思います。

その人物が上着から手を離すのを見てほっとするか、あるいはやや気まずいながらもその人のところに行って、私のほうが先にそれを買うつもりでいた、と言うかもしれません。この時湧き上がってくる感情は強烈なものです。でも考えてみれば、つい先刻まではあなたにとって何の意味もない上着だったのです。

あなたはそれを買い、家に持って帰ってエネルギーの絆《きずな》はますます強いものとなります。もし次の日にうっかりそれに染みをつけたら、あるいは破ってしまったら、通りがかりのゾウに滅茶苦茶《めちゃくちゃ》にされるなど何か予想外のことが起きたら、大変！　大惨事！　胸がつぶれてしまいそう！　でもたった二日前までは、あなたにとって何の意味もなかった上着です。これは一体、どういうことなのでしょう？

このような縄張り意識や物質所有欲は、ものを所有してコントロールしたいというあなたの精神の未熟な部分から生まれてくる感情です。あなたの魂は、人は何も所有できないということをわかっています。要は、ものを所有することが幸せにはつながらない、と気がつくことができるかどうか、です。生きていく上で役に立つものもありますが、生きる目的そのものではないのです。

■遺伝する「ガラクタ」収集癖

私たちの行動パターンの多くは、両親から学んだものです。あなたの両親のどちらかが「ガラクタ」を溜め込む人だったら、彼らの両親も、さらにその両親もその習慣を持っていた可能性が大です。この行動パターンは、何世代にもわたって引き継がれることが多いのです。

先祖代々「ガラクタ」を溜め込んできたという人の状況をよく把握するために、最近気がついた興味深い事実をお知らせしましょう。家系図を六百年ほど遡ってみると、大体二十世代の祖先がいます。それぞれの祖先が配偶者と二人ずつ子供を作ってきたとすると、直接の祖先だけでも百万人以上いることになります。それだけの人々が「ガラクタ」を溜め込んできたなんて、驚くべき数ではありませんか！

「万が一のため」という考え方は、心理学的に言うなら貧困性潜在意識（裕福性潜在意識の逆のもの）で、これは通常、親から子供に伝達されます。ですからあなた自身が飢えたり、何かが不足したりという体験がないまま育ったとしても、若い頃苦労をした両親からこのような恐怖心を植えつけられました。

アメリカ人の多くはまだまだ一九二九年の大恐慌で経験した恐怖心を心のどこかに持っていますし、アイルランド人は一八四〇年代のジャガイモ不作による大飢饉の体験談を、多くの国々では戦争時代の食糧難の苦い思い出を抱えています。

でも考えをほんの少し変えることで、あなたを育ててくれた世代の、もの欠乏恐怖症から解放されます。さらに一歩踏み出せば、足りないことではなく、あふれていることに目を向けて、もう必要ではないものを喜んで処分することができるようになるでしょう。

もっと良い、新しいものを人生に取り入れるスペースを作るため、積極的にものを整理していくようになるのです。

もしあなた自身が「ガラクタ」を処理することを学ばなかったら、子供たちにどんなことが起きるでしょう？　今こそ未来の子孫のために、先祖代々の悪習慣を断ち切るチャンスです。それによって、あなたも恩恵をこうむるのです。

■多いほど良い、という信仰

たとえば、こんなことです。西洋社会には、台所の包丁と言っても色々な種類があります。小さいものを切るための小さい包丁、大きなものを切る大きな包丁、先が尖《とが》ったもの、先が平らなもの、軽いもの、重いもの。そして目的に応じて、もっとも適した包丁を注意深く選ぶのです。

でもバリ島に行くと、興味深いことがわかります。一家には包丁がたった一つしかなく、それは考えつく限りの様々な目的に使われます。そして五歳の子供ですら、西洋社会のシェフのほとんどよりも、それをうまく使いこなすのです（試しに、パイナップルを剝《む》いてほしいと頼んでみてください！）。私たちは広告にすっかり洗脳され、こんなに多くの種類の包丁が必要だと思い込み、それを使いこなす技術を失ってしまったのです。

「多いほど良い」というテーマは、セールス熱心な製造元の会社がことあるごとに訴え続けて、騙《だま》されやすい人々はすっかりそう信じています。今度あなたの郵便箱に「役に立つ、必須アイテム、今までになかった新製品」といったカタログが届いたら、たっぷり三十分かけてこの「滑らず」「便利で」「手入れが簡単な」その品を買ったらどれほど人生が楽になるか考えてみて、それからリサイクル用のゴミ箱にカタログを捨ててください。衝動買いを思いとどまるのはとても勇気が湧いてくる体験ですし、どのみちあなたはその必須アイテムを使うことは決してなかったでしょう！

■「ケチ精神」

溜め込む習癖がある中でも特にガードが固い人は、払ったお金に見合う元が取れたと思うまで、ものを手放そうとしません。たとえバーゲンや、ただ同然で手に入れた場合でも同じです。このような人は、その品が戸棚の中に半永久的にしまい込まれて、出番を延々と待ち続けることになろうとも、最後の一滴分まで役に立たせないうちに処分するのは損だと考えているのです。

あなたがこの理由でものを捨てないでいるとしたら、あまり楽しい人生を送ることはできないでしょう。古ぼけた「ガラクタ」を後生大事に溜め込んで、エネルギーの流れを滞らせているところに、新しい良いものが入ってくることはありません。あなたのガードを少しゆるめて、人生がどう展開するか見てください。

感情を抑えるためにものを溜め込む

あなたは広すぎる空間や、多すぎる自由時間に不安を感じる人ですか？「ガラクタ」は具合良くあなたの空間を埋め尽くし、あなたを忙しそうに見せてくれます。それで一体、何を避けているのでしょう？　もっとも一般的なのは、孤独とか、誰かと親密になることに対する恐れ、哀《かな》しみなど、「ガラクタ」の中に埋めてしまったほうが楽な感情です。でもこのような感情を抑え続けるには、とてつもないエネルギーが必要です。恐れに向き合って、自分を直視する勇気を持った時、人生がどのように開花していくか、あなたはきっと驚くことでしょう。「ガラクタ」のクリアリングをするのは、それを実行するのにもっとも痛みを伴わない方法です。何といっても、自分のペースでできるのですから。

強迫観念

中には身動きとれないほどの「ガラクタ」に囲まれた、重度の強迫観念に悩まされている人もいます。もしあなたが、いつか必要になると思うと心配で何一つ捨てることができないという状態にあるのなら、この本はあなたの抱えている問題を理解する助けになるでしょう。でも同時にあなたは、経験豊かなセラピストにプロとしてのアドバイスを求めなければなりません（認知行動療法は、かなり効果があるようです）。

全ての領収書、全てのビニール袋、全ての新聞紙など、とにかく何でもとっておかないと気持ちが落ち着かないという人々に会ったことがあります。本来なら家とは社会に出ていくためのエネルギーを補充する安らぎの場所なのに、このような人たちの家は自分で作り上げた悪夢の世界になっているのです。

「ガラクタ」のクリアリングは適切なセラピーの代わりになるものではありませんが、より幸せな、過度な執着を持たない暮らしを見つけるための大切なプロセスなのです。これに関してより詳しく知りたい人は、リーアン・デュモンの『The Sky Is Falling』の中にある、何も捨てられなかった男性の話を読んでください。

第七章

ものを処分する

「ガラクタ」のクリアリングは、ものを処分するということ。でもそれは物質面のことだけではありません。ものは単なる結果の一つに過ぎないのです。もっとも大切なのは、必要なくなったものに執着してきたあなたの、処分することへの恐怖心を取り除くということです。

■「ステレオを取りに来た」

一九九〇年に私はインドネシアのバリ島に住みたいと決意し、それを実行しました。時々人から、自分たちの人生もそれほど自由だったらいいのに、と言われることがあります。彼らは私がお金の詰まった壷《つぼ》を持っていて何でも自由気ままにできるのだろうと思っています。でも実際には当時の私には何もなく、あるのはバリ島に住みたいという望みと、そのために必要なことは何でも変えようという決意だけでした。彼らが自分の人生を真剣に見つめ直して、やりたいと思っていることに立ちはだかっているものが何かを検証すると、多くの場合、見えてくるのは執着心です。自分が本当にやりたいことができないように、人生を作り上げてきてしまったのです。

スチュワート・ワイルドの著書『Infinite Self』の中の一章、「何も執着しない」の中で、こう説明されています。

あなたが持っているものは全て、神の意思からの贈り物です。あなたが帰宅してステレオがなくなっていたら、大騒ぎをせずに「ステレオを取りに来たんだ」と言ってください。それは神の意思で戻っていったのです。今では誰か他の人が、それの所有者になったのです。あなたの人生には新しいステレオが入ってくる余裕が生まれました。あるいは、もうステレオなど必要ないのかもしれません。瞑想《めいそう》にうってつけの静寂が訪れたおかげで、あなたは自分が何者でこの世に何をするために生まれてきたか、考える機会が与えられたのです。

そしてあなたがお金を費やすものを探しているのなら、これが彼のアドバイスです。

お金とは、持たないためのもの。使うためのものです。お金を流通させるのは、基本的に体験を買うためです。人生の最後には、銀行口座をゼロにしておきたいもの。そして人生を振り返って、「神様、私は何て多くのことを体験できたのでしょう」と言うのです。思い出は決して失うことはありません。

■単に立ち寄っただけ

人生は常に変化しています。ですから何か新しいものがあなたの人生に転がり込んできたなら、それを楽しんでうまく使い、時期が来たら手放しましょう。これは実にシンプルなことです。何かを所有しているからといって、一生それを持っていなければならないということはありません。人生にちょっとだけ立ち寄った多くのものと同じように、あなたはそれを一時的に所有しただけなのです。この世を去る時に、キッチンの棚の中身を持っていくことはできませんし、持っていきたいとも思わないでしょう！

物質的なものは全て、単なるエネルギーの一時的な形でしかありません。あなたは家を所有していて、銀行にはたくさん貯金があると思っているかもしれませんが、実際にはあなた自身の体ですら自分のものではありません。体はこの地球から一時的に借りているもので、用が済んだら自動的にリサイクルされ、あなた無しで違うフォームを与えられるのです。あなたは魂そのものです。崇高で永遠なる、破壊されることのない魂。でも肉体は一時的なもの。単なる「借りもの」というのが一番正しいでしょう。

あなたの体は、魂の一時的な住まいです。あなたの周辺、あなたの家の周辺に何を置いておくかは、あなた自身が成長すればそれに合わせて変化していくべきなのです。特にあなたが自分の成長を意識するような活動を何かしているのなら、環境を定期的に新しくしていかなくてはなりません。ですから定期的に「ガラクタ」を処分する習慣をつけて、それがあなたの成長の証であることを意識しましょう。

■恐怖心をなくす

人々が「ガラクタ」に執着するのは、手放すことが怖いから、整理した時に湧き上がる感情を恐れているから、捨てたことを後悔するのが怖いから、不用意で無防備になるのが怖いからです。「ガラクタ」のクリアリングが、直面しなければならない多くのものを表面化させるということは、誰もが本能的に知っているのです。

もっとも「ガラクタ」クリアリングがもたらす結果は、それを補って余りあるものです。愛と恐怖は同じ空間に共存することができないので、あなたが恐怖心のためにものを溜《た》め込んでいる限り、そこには愛が入り込む隙間がありません。きれいにものを取り除いたと同時に、人生に愛が注がれ始めるのです。恐怖心は本来のあなたの姿や、やるべきことを見失わせてしまいますが、「ガラクタ」のクリアリングを行うと、人生の目的がはっきりと見えてくるようになります。恐怖心は生きるエネルギーの流れを抑えようとしますが、いらないものを処分すると、あなたには本来の生気が蘇《よみがえ》ってくるのです。

「ガラクタ」のクリアリングによって、本来のあなたのあるべき姿を取り戻す自由が手に入り、それは自分自身への最高の贈り物なのです。

第二部
「ガラクタ」を見分ける

第八章

「ガラクタ」と風水定位盤

ここまで読んでも、まだあなたが片付けを始める気になっていなかったら、この章こそきっとその気にさせてくれるでしょう。

■「ガラクタ」の定位盤チェック

風水定位盤とは、あなたが住んでいる建物のどこがどのように人生に影響を与えるのか理解するための方位です。

家や職場に、いくら片付けてもすぐに「ガラクタ」が溜《た》まっていく場所があれば、定位盤を調べて、その場所に当てはまるあなたの人生がどのような状態なのか、確かめてみましょう。おそらくそれは、現在のあなたが一番注意しなくてはならない分野であるに違いありません。住居と人生というのは、分けて考えることは不可能なのです。ですからあなたの人生に心地よい調和をもたらすためには、何を置けばよいのかよく考えてください。

もう何の役にも立たないものを保管しておくことは、それがどこであれ、かなり悪い影響を及ぼします。あなたが家の中の繁栄を象徴する部屋に「ガラクタ」を溜め込んでおくと、あなたに財政的な問題が持ち上がるでしょう。

私の講習を受けた会計士の男性は、ある実験をしてみることにしました。彼のビジネスはスランプに陥っていたのですが、仕事場で繁栄を象徴する場所に壊れた鏡と飾り物を置きっぱなしにしていたことに気がついたのです。それを片付けてみると、驚いたことに数日のうちに二件も電話がかかってきて、どちらも彼の大口の顧客になったのでした。もっと驚いたのは、この二件ともが大きな企業で、それまで使っていた会計事務所に不満を持ち、突然新しい会計士を探す気になったということ。しかもその方法が、職業別電話帳を開くという珍しいやり方で、たまたま最初に彼の名前を選んだということでした。彼はとても感激して、わざわざその話をするために私の講習に戻ってきました。長年の間に、ほかにも同じような成功談を耳にしてきたのです。

■定位盤を使う

風水定位盤について本格的に学ぼうとすれば、何年もかかります。本書を読んだ後で、もっと深く学んでみたいと思う人もいるでしょう。でもここでの目的は、あなたの「ガラクタ」をきれいに処分することですから、ごく基本的な定位盤だけをご紹介します。

あなたの家に風水定位盤を当てはめてみましょう。透明なプラスチックと、それに書くことのできるタイプのペンを用意しましょう。正方形を書いて、それを縦横それぞれ四角が三つずつ並ぶように全体を九つに区切ってください。75ページの表の通りに、それぞれの四角に言葉を書き込んでいってください。

その次に普通の紙を用意して、あなたの住む建物の見取り図を描いてみてください。鳥瞰図《ちょうかんず》のように、外側の輪郭と壁、ドアの位置などだけで結構です。家の一部を借りているのなら、全体ではなくあなたが住んでいる部分だけにしてください。

玄関、あるいはあなたの部屋の入り口が一番下に来るように、紙を回してみましょう。あなたが玄関から中に入ろうとしているように、です。家の玄関は、人の入り口であると同時に、エネルギーが入ってくる場所ですので、これをもとにして定位盤の方向を決めるのです。

（アイルランドの人々、あるいはそれ以外の国で気が置けない近所付き合いをしている世界中の人々へ――もしあなたの家族、来客、郵便配達人が通常あなたの家の裏口を玄関のように使用しているのなら、定位盤の玄関も裏口にしなくてはなりません！）

次のステップは、定位盤を見取り図に当てはめてそれぞれ人生を象徴する位置を調べるために、家の中心を見つけることです。もし家が正方形や長方形ならば、簡単な作業です。それぞれの角から対角線を引いて、交わったところに定位盤の中心を当ててください。76ページで示したように、長方形がかなり細長くても定位盤は縦や横に

風水定位盤

繁栄 財産 豊穣	名声 社会的評価 知名度	人間関係 恋愛 結婚
家族 年長者 コミュニティ	健康 ● 結合・幸福	創造力 子孫 計画
知識 叡智 向上心	行程 職業 人生	助けてくれる友人 慈愛 旅行

見取り図から中心を割り出し、定位盤を当てはめる

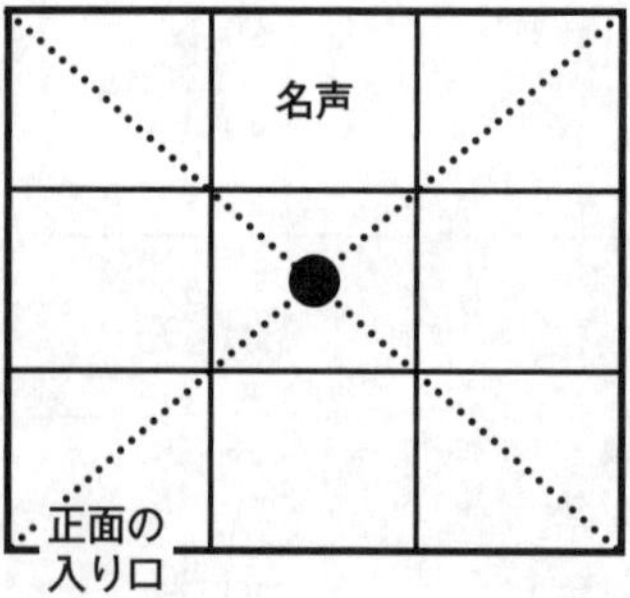

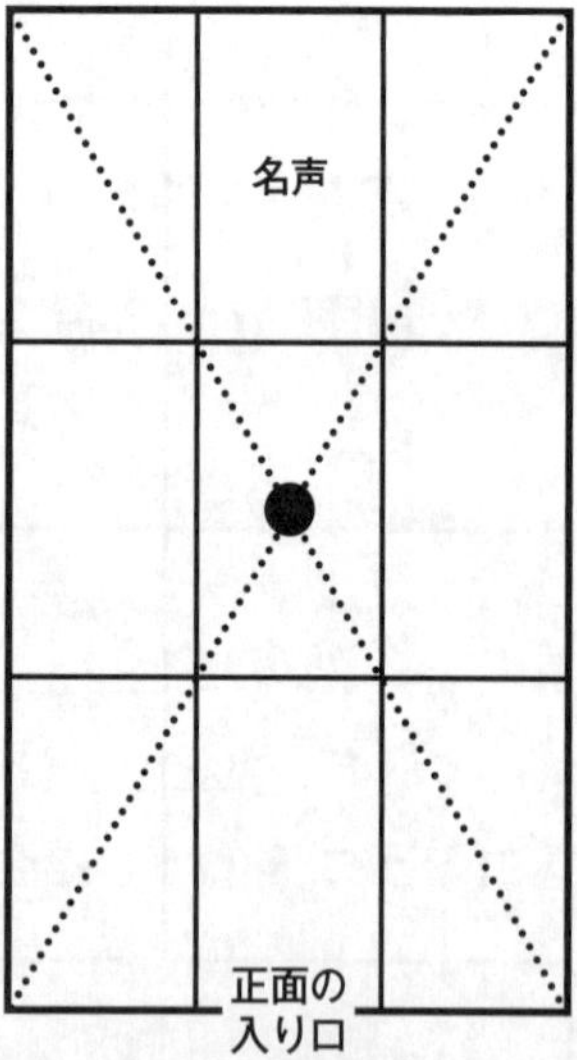

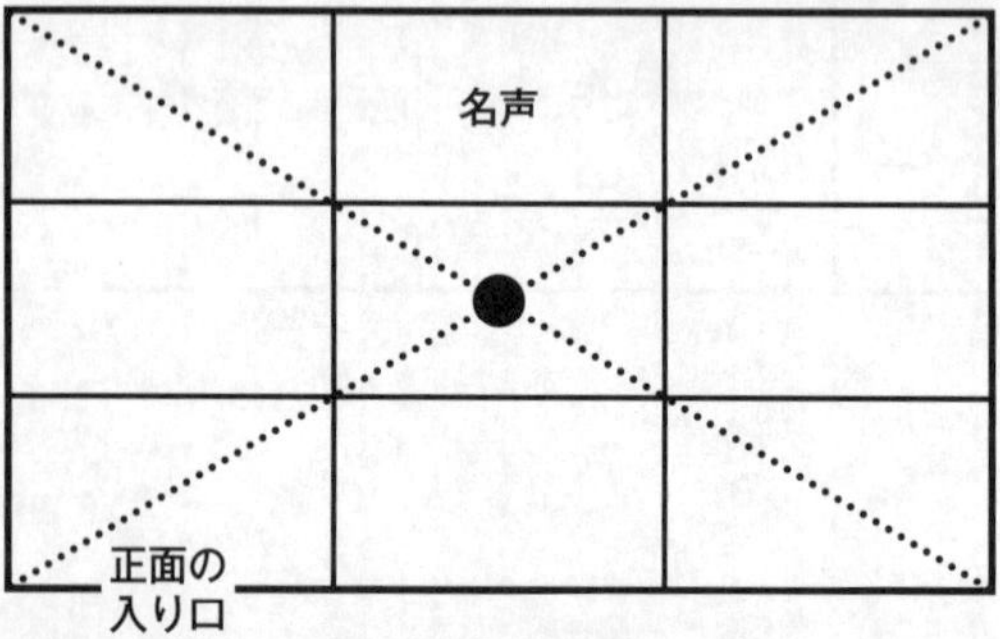

建物あるいは部屋が完全な長方形ではない場合は、欠けている部分を付け加えて長方形を作り、中心を定めて定位盤を当てはめる

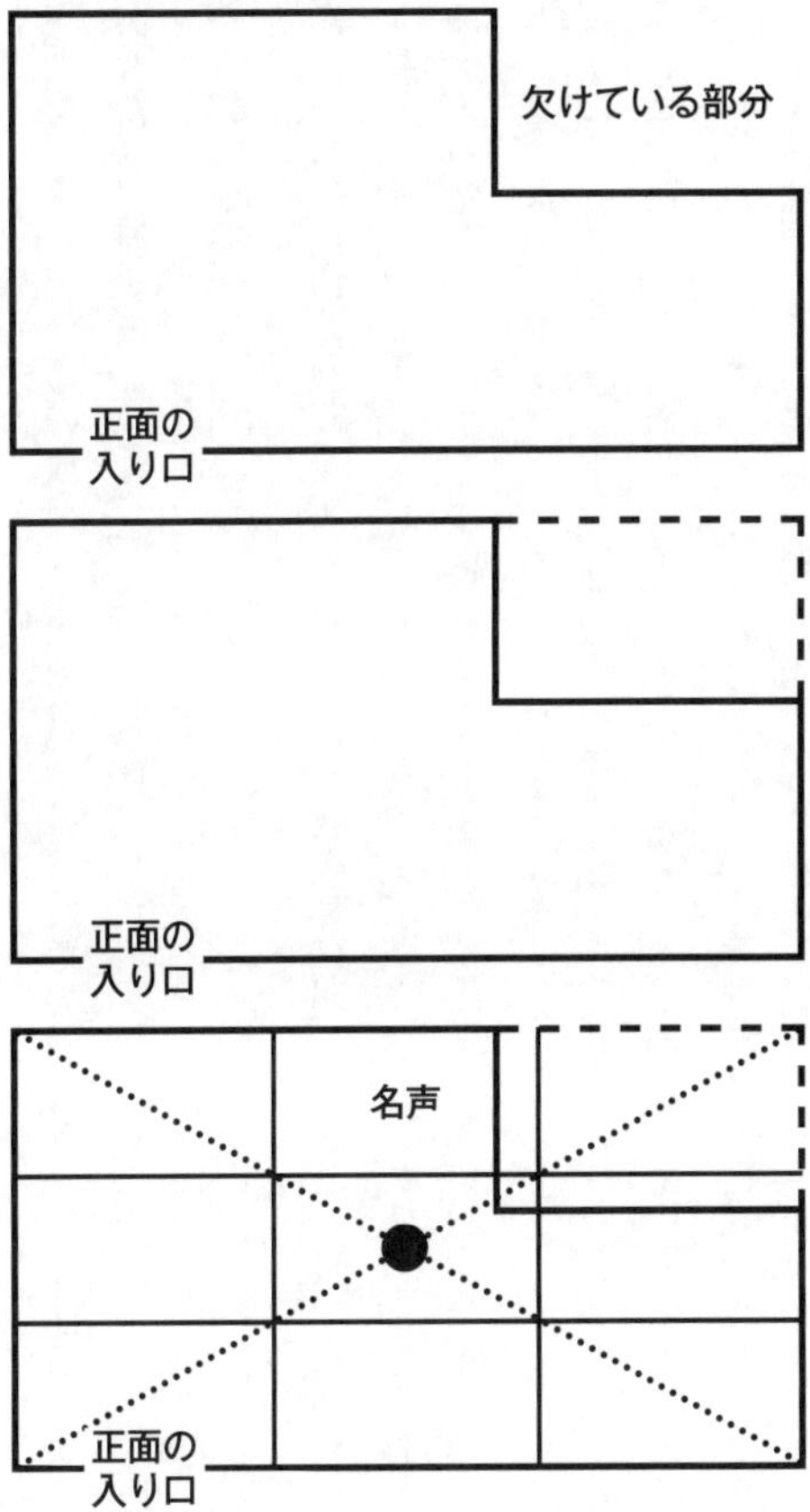

伸縮させることができます。

■欠けている部分

建物が不規則な形をしているのなら、中心を見つけるための対角線を引く前に、欠けている部分を点線で補いましょう（77ページ参照）。

■定位盤の中の定位盤

さてここからさらに面白くなります。定位盤は建物全体に当てはまるだけでなく、建物が建っている敷地全体にも当てはまります（敷地内に入るメインの入り口を全体の下に持ってきてみてください）。また建物のそれぞれの部屋にも定位盤を当てはめます（各部屋の入り口を下に持ってくる）。

ですから密《ひそ》かに、「ガラクタ」を庭の隅の小屋に詰め込んでしまおうなどと考えても、無駄です。庭の左上にある物置小屋はあなたの家計に悪影響を与え、右上の角にあると人間関係に問題が起きがちに、上の中央部にあると名誉が傷つくことが起きます。「ガラクタ」を溜め込んでも影響のない場所など、ないのです！

■「ガラクタ」と定位盤

ちょっと単純なエクササイズをしてみましょう。あなたの家の中でびっしり中身の詰まった戸棚を思い浮かべてください。もう長い間そんな状態で、一体何が入っているのか忘れてしまったというような状態のやつです。この戸棚は、あなたの一部とつながりを持っています。あなたの中で、すでにその存在すら考えることをしなくなってしまったという部分があるはず。それが一体何であるのかを知るために、家の定位盤でその戸棚がどこに当たるのか、また部屋の中でどこに当たるのか調べてみましょう。もしその戸棚が、あなたがよく使う部屋にあるのなら、部屋の定位盤のほうが重要です。そうでなければ、家全体の定位盤を参照しましょう。

■定位盤にある九つのセクション

定位盤のそれぞれのセクションは、いくつかの違った名前で呼ばれています。個々の位置が象徴するエネルギーや波動の違いを感覚として把握してもらうために、そうしました。あなたにとって、もっとも身近に感じる名前で選んでください。

繁栄、財産、豊穣

この部分に「ガラクタ」を溜め込むと、金銭の流れに滞りが生じ、家計全体が停滞して、経済的に豊かな人生を歩むことを困難にします。

名声、社会的評価、知名度

この部分に「ガラクタ」が溜まっている人は、社会的評価に問題が起きがちで、人気が衰えやすくなります。熱意、情熱、インスピレーションなども不足しがちになるでしょう。

人間関係、恋愛、結婚

この部分に「ガラクタ」を溜め込んでいる人は、愛する相手を見つけることが難しい、あるいは現在のパートナーとの間に問題が生じます。あなたが出会う相手は、あなたが必要な相手ではなかったという状況に陥りがちになるでしょう。

家族、年長者、コミュニティ

この部分に「ガラクタ」がある人は、家庭内や社会において、上司や管理者、両親とトラブルを起こしがちになります。

健康、結合、幸福

この部分に「ガラクタ」がある人は、健康を害しやすく、意義のある人生の目的を見失いがちになります。

創造力、子孫、計画

この部分に「ガラクタ」がある人は、創造力に行き詰まりを感じ、計画を実りあるものにすることが困難で、子孫との関係、あるいは自分の部下との関係がうまくいかなくなりがちです。

知識、叡智《えいち》、向上心

この部分に「ガラクタ」がある人は、学習能力、正しい判断力、自己を高めていくことに行き詰まりを感じます。

行程、職業、人生

ここに「ガラクタ」がある人は、生きていくことで常に坂を上がっているような苦労をします。自分が本来やりたいことをやっていないという焦燥感を感じながらも、本当にやりたいことが何なのかもわからないかもしれません。

ちです。

助けてくれる友人、慈愛、旅行

この部分に「ガラクタ」がある人は、周りからの助けを自らブロックして、いつも孤立無援と感じることが多いでしょう。また旅行や引っ越しなどにも、障害が起きがちです。

■定位盤テスト

私自身かなり疑《うたぐ》り深い性格ですので、あなたがこの情報を鵜呑《うの》みにする前にテストすることを心からお奨めします。一つのやり方は、あなたの家の定位盤の中から、現在順調にいっている部分を探し出して、その場所に「ガラクタ」を山ほど積んでみてください。そして数ヶ月放置して、様子を見ましょう。私自身、これを試してみた時は悲惨な状態になりました！

もう一つの方法はもっと建設的で、私はこちらをお奨めします。定位盤のうち、あまりうまくいっていない分野を選んでそこの「ガラクタ」をきれいに処分するというやり方です。たとえば、あなたは普段からあまり助けの手を差し伸べられないほうだと感じていたとしましょう。「助けてくれる友人」を象徴する部分を、もしあれば庭、家全体、そしてあなたが普段もっともよく使っている部屋の順番に徹底的にきれいにしてください。もしもこの中で自由に片付けることができない部分があれば（たとえば下宿人が使っているなど)、他の部分を特に熱心にきれいにしなければいけません。

もちろんもっとも良いのは、どこにあろうとも全ての「ガラクタ」を片付けることです。そうすれば人生全般的に、運が上がっていくでしょう。

次の章では特定の種類の「ガラクタ」を分析し、それが溜まりやすい部分に焦点を当てていきましょう。

第九章

あなたの家の「ガラクタ」ゾーン

家は、立体的に再現したあなたの人生そのものだと考えてみましょう。もしあなたが他の人と一緒に暮らしていて、特に同居人の数が多ければ、それはあなたの人生ではなく彼らの人生だと言うかもしれません。でも実はそんな単純な問題ではないのです。あなたの身の回りのもの全ては、たとえ同居人が作り上げたものであっても、あなた自身を投影しているのです。

この章では、もっとも「ガラクタ」が溜《た》まりやすい場所を点検して、それがどのような影響を与えるのか分析してみましょう。

■地下室、屋根裏、物置部屋

地下室

地下室、地下倉庫はあなたの過去、潜在意識を象徴しています。地下室に溜まった「ガラクタ」はあなたがまだ過去のことをきちんと清算しておらず、それがかなりの重要事項であることを意味しています（人々はもっとも重いものを地下に置くことが多いのです)。

そこに積み重なっていた時間が、あなたがその問題を放置していた時間です。もっとも地下室に運び込まれる前からその品が使われることがなかったのであれば、その期間も計算に入れなければなりません。

倉庫に長い間ものを放置しておくと、そのうち露、ネズミ、湿気、カビなど自然の救世主が、それを捨てざるを得ないような状況に追い込んでくれることでしょう。でもそのようなプロセスが起きている間、あなたの人生にどんなことが起きるのでしょう? 夢も希望もない思い、鬱《うつ》、無気力、虚脱感、あるいはあせりなどが地下に溜め込んだ「ガラクタ」の与える影響なのです。

もちろん、地下倉庫にものを保存することは悪いことではありません。でも時々何をしまったのか点検をして、定期的に使うものだけを保管してください。そして空気やエネルギーが循環できないほど、ぎっしり詰め込まないようにしましょう。

屋根裏

屋根裏に溜め込んだものは、向上心、可能性にかげりを落とします。まるであなたが、ありもしない限界ラインを決めたようなものなのです。心配性になり、問題が今にも目の前に落ちてくるような思いにとらわれます。屋根裏を片付けた後、どれほど気分が変わったか、人々が報告してきた手紙を紹介しましょう。

———

屋根裏をきれいにするのに、丸一週間かかりました。でも気分は最高、全身にエネルギーがみなぎっています。

———

うちの屋根裏には過去四十年分の思い出が詰まっていました。古いラブレター、写真、小物、お土産など。そこには埃《ほこり》が積もって、ネズミたちの遊び場になっていたのです。

私はその大部分を処分して、屋根裏をスタジオに改装しました。今では家中でそこが一番お気に入りです。新たに自分の芸術的才能を発見して、人生を楽しんでいます。

———

あなたのカウンセリングを予約したのは、ここ何年かビジネスが伸び悩み、風水の力でもっと大きな展開をすることはできないだろうかと思ったからでした。そのあなたから屋根裏を片付けるようにと言われたのはまったくの予想外で、正直言って私一人だったら実行しなかったと思います。妻に説得されてようやくその気になったわけですが、あれからあなたに言われた通りのことが起こりました。うちのビジネスはまるで蓋《ふた》を取ったかのように、上昇しています。新しいエキサイティングな展開となり、まるで夢が現実になったかのような気分です。

いらないものを放置する部屋

定位盤の章をすでに読んだあなたなら、このような部屋を二度と家の中に作らないことを願っています。「ガラクタ」が積み重なった部屋から発するドロドロとしたエネルギーは、あなたの人生に悪影響を与えます。どうしても状況的に、そのような部屋をしばらく保たなくてはならないのなら、せめて中身をきれいに整頓しましょう。

「ガラクタ」を入れる引き出し

これを言うと驚くかもしれませんが、一つ、この引き出しを作ってください。ものを無造作に入れることができる引き出しを決めましょう。もしあなたが大きな家に住んでいるのなら、各階に一つずつ必要かもしれません。

「ガラクタ」クリアリングとは、神経質で完璧主義になることではありません。自分の所有しているものが鈍い滞ったエネルギーを発しないよう、家の中を風通し良く清潔に保つためのものなのです。この忙しい世の中、私たちはその辺に散らばっているものをあまり深く考えずに放り込むことができる引き出しが必要です。ですから、

「ガラクタ」を入れる引き出しは、ぜひ作ってください。ただし次の三つのルールは守りましょう。

＊小さな引き出しを選ぶこと
＊本当に必要な時だけ、使うこと
＊定期的に、中身を整理すること

■玄関、入り口周辺、廊下

玄関

風水にとって玄関とは、あなたが社会に出ていく時の出口であり、またあなたが人生にどう対処するかの象徴でもあります。人々がこのドアを出たり入ったりするたびに、エネルギーも同時に出入りします。この付近にものがあふれていると、外から良いエネルギーが入ってくるのを妨げて、社会で出世することを阻止します。ここをきれいにしておくことは、とても重要です。玄関の周辺の「ガラクタ」は、あなたの人生にいらないトラブルを巻き起こすのです。

次にあなたが玄関を使う時、客観的な目でよく観察してください。入ってくる通路が木の枝で被《おお》われていたり、植木が伸び放題になっていたりしませんか？

建物に出入りする時に目に付くような、「ガラクタ」がドアの外に置いてはありませんか？

中に入るのに茂みのようになったコートの山、そこらに散らばった靴やブーツ、レインコートや帽子、マフラーなどをかき分ける必要はありませんか？　この場所を可能な限りすっきりさせて、特にドアの開閉の妨げになる障害物は取り除きましょう。

裏口

第二十章で、腸をきれいにする効力について述べますが、摂取した全てのものは、排出します。

玄関がものを食べる口だとすれば、裏口とは……（ご自分で考えてみてください）。家に便秘を起こさせたくなければ、このあたりにものを積み重ねてはいけません。

ドアの裏

風水の効力を試す一つの簡単な方法は、家中のドアの裏側を全てきれいにしてみることです。これは掛け金や取っ手にかかっているもの（バスローブ、タオル、バッグなどその他諸々）、そしてドアの全開を妨げているもの（家具、洗濯物入れなど）のことです。

そしてあなたの人生がどれほど楽になるか、観察してください。とてもシンプルなことですが、とても効き目があります。ドアが全開しないと、家の中のエネルギーは自由に循環することができないので、何をするにも余計な苦労がかかります。障害物を取り除けば家全体のエネルギーの流れも、人生ももっとスムーズになるでしょう。

通り道

廊下、通り道、階段などに置いてある障害物は、家に活発なエネルギーが入ることを妨げます。ですからあなたの人生は進展の少ない、滞ったものになるでしょう。もっとも悪いのは、そこを通るたびに体を捻《ひね》ったりしなくてはならない障害物です。これらの部分は、可能な限りきれいに保ってください。

■リビング周辺

リビングルーム、茶の間

ここはそれぞれの家庭によって、かなり違う状況だと思います。いつもきれいに片付いていて、来客がいつ来てもいいようになっているところもあります。中にはいつも台風が通り過ぎた後のようになっている家もあるでしょう。

大切なのは、あなたの家には人々が自然に集まってきたくなるような、家の心臓があるかどうかということです。たとえ独り暮らしでも、あなたがそのように使っている部屋があるでしょうか。心臓がない家は、家とは言えません。

時には茶の間が集まる場所になり、それがキッチンテーブルやダイニングルームである場合もあるでしょう。それがどこであれ、エネルギーがあまり早く通り抜けてしまわない場所にすることが肝心です。エネルギーが通り過ぎる前に、その場のエネルギーを取り込み、溶け込んでから循環していく必要があるのです。ですからここは家の雰囲気にマッチする装飾品などを配置して、エネルギーを集めるのに適した場所です。可能な限り心地よさそうに、そして真ん中にはお洒落《しゃれ》で住人たちにとって良いインスピレーションになるような品物を置きましょう。でも「ガラクタ」を溜めてしまうと、家の中心部にエネルギーが滞ることになってしまいますから、良いバランスを保つように心がけてください。

キッチン

あなたのキッチンの棚を占領しているものは何でしょうか？　私の講習に参加したある男性は、棚の中にある食料を食べ切るまでは買い出しに行かないと決心しました。

そして彼は、何と八週間近くも買い物に行かずにすんだと言います。最後には好きではない缶詰が十個残り、彼はそれを捨てて買い物に出かけたそうです！
あなたの棚も、きれいにしてみましょう。冷蔵庫と冷凍庫の中身も忘れずに。

■寝室

寝室にそぐわないもの

あなたの寝室は、他に置く場所がないもののゴミ溜めになっていませんか？ そうだとすると、あなたは自分を粗末に扱っているのです。寝る場所にコンピューターやエクササイズ用自転車、壊れた家電用品などが詰め込まれているのは、理想的ではありません。寝室が散らかっているのは、大人にとっても子供にとっても良くないことなのです。

特にロマンスを求めている人は、相手を募集中でも、すでに相手がいる人も、寝室をきれいに保っていなくてはなりません。汚れた洗濯物には不浄なエネルギーが集まりますので、洗濯物入れを寝室に置いてはいけません。そしてエネルギーを清浄で生き生きと保つため、週に一度はシーツを交換しましょう。そうすることによって、あなたの睡眠も、愛を交わす時間もより充実したものになるでしょう。

ベッドの下

あなたのエネルギーが接する場所にあるものは全て、睡眠の質に影響を与えます。ですからベッドの下にいらないものを押し込みたいという誘惑に負けてはいけません。ベッドの下に引き出しがついているのなら、そこには清潔なシーツ類、タオルや衣類を入れておくのがベストです。

鏡台の上

とても興味深い事実ですが、鏡台の上に容器や瓶がたくさん置いてある場合、そのほとんどは空っぽです。あなたのも、ぜひ調べてみてください！

寝室にある家具の表面は、できるだけきれいにしておきましょう。そのほうがエネルギーが循環し、空間に調和をもたらします。

タンスの上

タンスや棚の上に「ガラクタ」が積み重なっているのは、あなたの目の前にいずれケリをつけなければならない問題がぶら下がっているのと同じこと。はっきりした頭で明晰《めいせき》に思考することを妨げ、起きて最初にそれが目に入る位置にあると、目覚めはいつも心地悪くなります。家の中で目の位置よりも高いところに「ガラクタ」がたくさんあると、住む人に重圧感を与え、時には頭痛の原因にもなるのです。

タンスの中身

ほとんどの人は、日常生活の80％の間に持ち服の20％しか着ていないそうです。もしこれに疑いを感じたら、一ヶ月テストしてみてください。あなたが何かを着て洗濯をするたびに、タンスの一番隅にかけてください。月の終わりには（あなたが意識的に違う服を着るようにしていたとか、仕事の都合上、しょっちゅう違う服を着なければならないというのなら別ですが）きっとほとんど同じものばかり着ていたという結論に達するでしょう。

この20／80のパターンに陥っているのは、何も服だけではありません。あなたが持っているもの全て、普段やっていること全てに当てはまるのです。私たちが手にした結果の80％は、我々のしている努力の20％から得たものなのです（これをビジネスの世界では、最初に言い出したイタリア人の経済学者の名前をとってパレートの法則と言います）。同じように私たちは所有しているものの20％を、日常生活の80％で活用しています。

ですからタンスの中身を整理する時には、20％のあなたが気に入って普段よく着ているものと、80％のただ場所をとっているものに正直に分けてみましょう。いらないものを捨てるのが、これでぐんと楽になるはずです。

80％の中身を吟味する時、何を基準にして残すか処分するか、はっきりさせたほうが良いでしょう。最初に、色をチェックしてください。プロのカラー・コンサルタントに、どの色があなたに似合い、エネルギーを増幅させるのか、どの色がその逆の作用をするのか調べてもらうのは、とても良い投資です。あなたに似合うだけでなく、気分も良くしてくれる布地の色見本を手にすると、自信に満ちあふれてきます。それによって持ち服の50％はこれまで人生に何の利益ももたらさなかったことが判明し、処分をするのがぐっと楽になるでしょう。

次に、残りの服に袖を通してみて、どんな気分になるか調べましょう。もし型、素材、裁断、布地、その他何か気に入らないことがあったら、処分してしまいましょう。あなたには心から気に入っているワードローブを揃《そろ》えるという、自分に対する義務があるのです。服がぎっしりつまったタンスを開けて、「何も着るものがないわ」と愚痴る必要が二度とないように。

そして本当に欲しいもの以外は、二度と買わないと心に決めてください。どのみちそれは80％の山の中に入って、お金の無駄遣いに終わるのです。本当に気に入って、自分に似合う服だけ買ってください。その結果、安い服を十着買う代わりに、ちょっと値がはる服を三着買うことになったなら、そうしてください。たとえお金がなくても、そうすることをお奨めします。実を言えば、いつも身ぎれいにして気分も良い状態に自分を保つことは、あなたのエネルギーレベルを高くし、良い運を引き込むコツなのです。

二十年以上も着たことのない服を、後生大事に保管している人たちもいます。しばらくすれば、またこのスタイルが流行《はや》りになると言うのです。でも私のアドバイスはこうです。

去年一年袖を通さなかったもの、特に過去二、三年袖を通さなかった服は、売るなり、交換する、あるいは寄付するなりして、処分してください。その季節に相応《ふさわ》しいのに着たいという気分にならなかった服は、すでにお役目が終わっているのです。季節が二回か三回めぐってきたのに着なかった服は、確実にもう処分するべき時が来たのです。

なぜこれらの服がすでにお役目が終わったのかを理解すれば、あなたも納得できるでしょう。家を飾りつけるのと同じように、色、素材、デザインなど、自分のエネルギーのバイブレーションに見合ったものを私たちは選びます。たとえば、人は人生の中である特定の色の時期を過ごすことがあります。

何年も前、私のワードローブはほとんどが紫で、それに緑と青、そしてトルコ色がほんの少し。でもお気に入りは何と言っても紫、という時期がありました。バリ島に私を訪ねてきた友人が、外にかかっていた紫ばかりの洗濯物のおかげでうちを見つけたということもあったほどです！

当時の私は、自分のエネルギーに紫をたくさん蓄えている最中でした。この色は自分の力を取り戻し、成功へと導いていってくれるのです。色をすっかり取り込んだ今となっては、ほとんどこの色を身につけることはありません。

タンスの中に、買ってから一度だけ着てそれっきりという服を持っている人は多いでしょう。そのようなことが起きる理由を説明しましょう。あなたが買い物に出かけて何かに目をとめたとします。たとえば、それがオレンジの地に紫の水玉模様だったとしましょう。試着して素晴らしく似合ったので（あなたの目にはそう見えたのです）、買って帰りました。誰にでも精神的にバランスの悪い日があり、そんな時はあなたのエネルギーフィールドもオレンジ地に紫水玉、あるいはその服と似通った色合いになっているため、似合うように感じたのです。でも次の日になると精神的にも落ち着き、エネルギーフィールドの色ももとに戻ります。そしてあれほど似合って見えた服が、なぜか似合わなく感じるのです（もともと誰にも似合わない色だったのです！）。

あなたは次に着る機会を待っているのですが、通常の場合（幸いなことに）あの感覚はもう戻ってくることはほとんどありません。大切なのは、精神状態が良くない時にショッピングに出かけないことです。嫌な気分を紛らわすために出かけるショッピングは、二度と着ないものを衝動買いするはめになりがちなのです。

きつくなって着ることができなくなった服を、再び痩せるまでと大事に保管する人もいます。でもその望みが実現することは、ほとんどありません。もう着られなくなった服を捨てて、今のあなたの心と体を引きたててくれるような服を買ってください。そうすれば、どんなことが起きるでしょう?

あなたは自然に体重が減るのです。ひねくれものの法則とでも何でも、好きなように呼んでください。あなたが太っていることを否定するのをやめたから、自然に体重が元通りになったのです。いつか痩せたら自分を好きになろうという代わりに、今のままの自分を好きになる決心をしたからです。否定に固執していたあなたが、否定をやめると固執も消えるのです!

■バスルーム

私がこれまで見たバスルームの中には、雑貨や化粧品、洗面用具が山積みとなっているところもありました。これらのものが棚、窓の枠、水洗トイレのタンクの上、お風呂の縁、洗面台の横、床などあらゆるところに置いてあったのです。これらのものがあるおかげで、本来ならば清涼で平和であるべきこの場所が、エネルギーが混雑して埃《ほこり》が溜まりやすくなっています。きれいに整頓されたバスルームを保っている人たちは、もっとも瞑想《めいそう》に適しているのは（そして歌うのにも適しているのは！）湯船やシャワーの中だと言います。もっとも良い方法は、収納棚を設置して中をすっきりと片付けることです。

■車庫と駐車場

車庫と駐車場はいらないものを溜め込む人にとって、こたえられない場所です。昔の車の部品とか、もう使っていない家具の部品、箱いっぱいに詰まった邪魔なものなど、家の中に入り切らないものでいっぱいになっているでしょう。重症の溜め込み癖のある人なら、これらの価値のない「ガラクタ」を雨や風から守ろうとします。知り合いのある一家は、「ガラクタ」の収納場所を増やすためにわざわざ駐車場が二台分ある家に引っ越したのです！

車庫を倉庫代わりに使うのは構いません。でも保管するのはあなたが気に入っていて、使うものだけです。よく整頓された、きれいな車庫は気持ちの良い空間になります。

■車

車の中の状態は、持ち主の溜め込み癖がどのような状態にあるかを正直に物語っています。

あなたが家をきれいにしたのに、車の中は膝までゴミでいっぱいという状態ならば、まだまだやらなければならない仕事が残っています！

あなたの車は、一つの小さな世界です。あなたが突然誰かを乗せてあげることになった時、散らかっているものを押しのけながら謝ることになりませんか？　週に何回ぐらい、「そろそろ車をきれいにしないと」と考えますか？　あなたがこう思うたびにエネルギーのレベルが下がり、結果的にあなたは腕まくりして車をきれいにする以上のエネルギーを消費しているのです。きれいになった車がどれほど気持ち良いものか、わかっているではありませんか。自分に贈り物をするつもりで、やりましょう！

■持ち運びのできる「ガラクタ」

ここで指しているのは、ハンドバッグ、財布、ブリーフケース、パンツのポケットなどのことです。さて万が一、あなたが私の書いていることを真剣に受け止めておらず、私が単に他人に余計なお節介をしたくて本を書いていると思うのなら、次のことをよく読んでください。ある日、私が友人たちを訪れると、二人の二歳になる子供が私のハンドバッグの中身を点検する遊びを始めました。おとうさんとおかあさんがニコニコしながら見つめる中、バッグの中身が一つ一つ取り出されていきます。どうやらこの女の子は来客があるたびにこれをやっているらしく、大勢の女性たちを大慌てさせてきたのでした。

ハラハラする代わりに、ニコニコしながら見守る気持ちがどれほど心地よかったか、ここで強調しておきたいと思います。この子の両親は私に謝るつもりだったらしいのですが、その代わりにこんなにきれいに整頓されたバッグは初めて見た、と賞賛してくれました。

もちろん、いつも完璧な状態にしておくわけではありません。でも私は行く先々にゴミを抱えていくつもりはないので、服を定期的に洗濯するように、バッグの中身の定期的な点検をするのが習慣となっているのです。

■海外の事情

いらないものを溜めておく場所は、国によって違います。たとえばオーストラリアでは、車庫や倉庫は地下に作るのが一般的で、人々はそこにいらないものを詰め込みます。英国人にとっては、屋根裏と地下室がお気に入りの場所のようです。

アイルランドでは家の裏にある小屋など。そしてアメリカ人は、ありとあらゆる場所に溜め込むようです！

第十章　収集癖

ほとんどの人は、何かを収集しています。ごく一般的なものでは指ぬき、ティースプーン、マッチ箱、テレフォンカード、コースター、切手など。もう少しエキセントリックなものでは昔のポップスターのグッズ、アンティークのパイプ、ミシンの部品、猫のひげなど（実際にこれを集めている人に会ったことがあるのです）。

他にも国を問わず人気があるのは、動物をテーマにした装飾品類です。猫、犬、カエル、アヒルなど一般的なものから、カンガルーやコアラなど特定の国にいるもの、オリエンタル趣味のゾウやトラ、龍などを集める人もいます。

マントルピースの上に可愛《かわい》い仔猫《こねこ》の置物が二、三個あるのは悪くありません。でもコレクションは、時には収拾のつかないものになってしまうこともあります。気がついたらどの部屋も猫の置物でいっぱい、どの壁にも猫の絵がかかり、布巾も、ディナーマットも、ティーカップもTシャツも猫の模様ということになりかねません。ある時、アイルランドの南部で開いた講習でこの話をしたことがありました。しばらくすると、一番前に座っていた女性が黙っていることができなくなり、皆の前で家にはカエルの装飾品が二千点以上あることを告白し始めたのです。

「うちの玄関のドアでさえ、巨大なカエルが彫り込んであるんです！」。彼女が悲しげに訴えると、会場は爆笑の渦になったのでした。

ではなぜ私たちはものを集めるのでしょう？　中にはコレクションを始めたのは、子供の時だったという人もいます。友人や親戚からもらったものが、始まりだったという人もいます。きっかけが何であれ、私たちが何かを集めたいと思うのは、それが「たまたま偶然」であっても、実は自分の成長のために何かを欲している本能のなせる業なのです。

その時に自分が必要としている波動ですから、否定する必要はありません。でも人生は常に変化していて、それらの集めたものは、本質を自分のエネルギーの中に取り込み終われば用済みなのです。そしてもう何か新しいことを始めて良いのです。

たとえば動物の持つ本質について、アメリカの先住民たちは豊かな知識を持っていました。どの人にも必ず動物のトーテムがあり、それはお守りであると同時に力と知恵の源でもありました。部族の人々は「白い鷹《たか》」「踊る熊」というような名前を持ち、その動物が持つパワーを身近に感じて一生を過ごすのです。

でも時代は変わりました。昔は英国で人に「鍛冶屋のジャック」や「漁師のジョン」というように職業を現す名前をつけていました（それが後に、ジャック・スミスやジョン・フィッシャーになったのです）。でも変化が激しい現代社会でそれをやろうとすれば、「元コンピューター・プログラマーがタクシーの運転手になり、それから有機農業の生産者になって作家になったリチャード」というようになるでしょう。ほとんどの人たちは生涯に一つ以上の職業を体験し、時には数回の結婚や同棲《どうせい》を体験することも珍しくありません。まるで一度に何度も違う人生を生きているかのようです。

現実にこのようなことが起きている理由は、見えないエネルギーの世界のためです。私たちは、かつてなかったほど人間が早く成長できる世の中に生きています。限りない可能性を秘めた世界が外で待っているのに、カエルのコレクションに足をとられている場合ではないのです！

■ブタを作った男

私の知っている男性は、ある時期ブタを作るのに夢中になりました。きっかけは、母親が雑貨屋さんで買ってきた石膏《せっこう》のブタをとても気に入り、型をとって複製を作ったことから始まったのです。そのうち石膏のブタから、色付けした陶器のブタにと進化していきました。翼をつけたらもっと面白いかもとアドバイスをした人がいて、空飛ぶブタが誕生しました。彼はそのうちロンドンのお洒落《しゃれ》なコベント・ガーデンで屋台を借り、何千匹もの空飛ぶブタを売りました。色々なサイズを作り、人々はそれをセットで買って壁にかけたりしたのです。クリスマスには、特別なバージョンとして眠っているブタたちを作りました。

当時を振り返って彼は、ブタを作ることにはまったのには、何か理由があると最初から感じていた、と言います。でも彼のブタへの情熱が何だったのかわかるまでに、十六年の歳月を要しました。そして彼は母方の祖父と曽祖父が二人ともブタ肉屋だったことを知ったのです！　彼が作ったおよそ合計三万二千匹のブタは、彼の祖先が一生の間に解体したブタの数とおおよそ一致していたと見積もりました。彼は自分のカルマのバランスが取れたことに満足し、新たに指圧師としての人生をスタートしたのです。

■アヒルおばさん

ある時、私が風水コンサルタントのために訪れた女性の家には、ざっと見渡して百羽以上のアヒルが置いてありました。「このアヒルたちは、どうしたのですか？」とたずねると、彼女は不思議そうにこちらを見つめました。「どのアヒルのことですか？」と彼女は訊《き》き返します。私たちはもう一度家の中を歩き回り、私がいちいちアヒルを指差すと、彼女はとても衝撃を受けました。壁紙、クッション、バスルームの飾り、ガウンの刺繍、キッチン雑貨など、あらゆるところにアヒルがいました。そこはまさしく、アヒルの王国でしたが、彼女はまったく意識をしていなかったのです。さらに興味深かったのは、どのアヒルもつがいではなく一羽だったことでした。彼女は一度も結婚をしたことがない女性だったのです。

長い話を短くまとめますと、彼女は私のアドバイスに従ってアヒルたちを処分し、恋人を見つけたのです！

■収集癖に溺れないように

コレクションを理解するコツは、なぜ自分がそれを集めたのか、その意味を理解して人生の次のステージへと向かうことです。なぜ集めているのかもわからないのに、コレクションマニアのまま一生過ごさないよう気をつけてください。

集めているテーマが動物だったら、なぜその動物に惹《ひ》かれているのかを知るために、リサーチしてみてください。その特性、生活習慣、特別な才能など。それによって、あなたが潜在的にどのような要素を自分に必要としていたのか理解できるでしょう。

あなたがこの情報を消化して、心の底からコレクションを保管する必要を感じなくなるまでには、かなりの時間が必要でしょう。たとえ心の準備ができたとしても、全てのアヒルを一度に処分するのは難しいかもしれません。無理にそれを実行するのではなく、自分の気持ちに沿って自然に行うことが大切です。その気になった時に、少しずつあなたの群れを削っていけば良いのです。

第十一章 紙の「ガラクタ」

紙はなぜこんなに魅力的なのでしょう？　コンピューター時代に突入すれば、紙の消費量が減るだろうと予測されていたのに、現在私たちは過去になかったほどの大量の紙を消費しています。その理由は……もちろんご存じのようにどのコンピューターにもプリンターというものがつながっているからです！

もっとも手強《てごわ》いタイプの紙の「ガラクタ」を処理するために、いくつかの方法をあげました。

■本

学究心の強い人にとって、古い本の保存は悩みの種です。本はかけがえのない友だと感じる人も大勢います。あなたが知識、インスピレーション、楽しみ、そして疑問の答えを求める時、本はいつもそこにいてくれます。

でも古い本を保管し続けることの問題は、人生に新しいアイディアや考え方が入ってこなくなることです。蔵書は持ち主のアイディアや信念を象徴しています。古い本が大量に本棚を占領していると、あなたは段々新しいことにチャレンジしなくなり、周りの本と同じようにかび臭いエネルギーを発するようになってしまうのです。

高学歴なのに配偶者が見つからないという人の家にカウンセリングで呼ばれると、大概の場合、恋愛をつかさどる位置に、古い蔵書がぎっしり詰まった大きな本棚が置いてあります。風水のことを何も知らずに彼らがそこに本を置いたのは、「何となくそこが良いと思ったから」。その理由は、彼らがもっとも大切な関係を持っている相手は本だからなのです！　このような人たちは、ベッドの横にも、寝る前の読書のために本の山が積み重なっています。これも、恋愛関係の代わりなのです。本棚を移動させることで、あるいはせめて本棚に少し隙間を作ることで、人生に新しい興味や人間関係が入り込んでくるようになるでしょう。

もしかすると本の量が多すぎて、とっくに本棚からはみ出して、他の場所も占領しているかもしれません。机の上やコーヒーテーブルの上、お気に入りの椅子の横、そしてトイレにまで積み重なってはいませんか？（これがどのようなことを意味しているのか、第二十章を参照してください）

時期が来たら本を処分することを学んでください。使ったことのない料理の本から始めましょう（開いてレシピを確かめてはいけません）。次にもう何年も手にしていない参考書や資料、もうあなたの子供が読まなくなった児童書、結局読み終えなかった小説、あなたが共感しなかった仮説を主張する本など。それから手が届かないところに保管していて何年も触れていない本、年月とともに内容が古くなってしまった本も処分しましょう。次に、過去に大きな影響を受けたものの、その内容がすでに自分の一部になっているためにもう読み返す必要のなくなった本を。

目標は、現在のあなた、そして将来こうなりたいというあなたを象徴するような本だけを残すことです。もしあなたが熱心な研究者のような人であれば、あなたの潜在意識とつながっている蔵書だけでちょっとした図書館ができるでしょう。でもそれ以外の人にとっては、本棚一つか二つで十分なはずです。よく使う資料、そしてあなたが心から好きな本だけを残して、あとは処分してしまいましょう。

あとで読みたくなった時のことが心配ならば、地元の図書館に寄贈するのが一番良い方法でしょう。必要になったらいつでもまた借りることができると思えば、気が楽になります。同時にそれらの本はあなたの本棚と運勢を滞らせる代わりに、誰か他の人の役に立つのです。大変興味深いのは、地元の図書館に本を寄贈しても、それを再び借りたいと思うことはほとんどない、という事実です。処分したとたんに、何か新しいことに興味が移って古いもののことは忘れてしまうものなのです。

■雑誌、新聞、切り取った記事類

私が訪ねたある家は、一つの部屋が航空関係の雑誌で埋まっていました。持ち主はこのコレクションを完全なものにするために、どの号がないか確かめようと二十年間そのままにしておいたのです。なぜこのコレクションを完全なものにしたいのかと訊《たず》ねると、持ち主はポカンとして黙り込みました。そもそもなぜそれが欲しかったのか、思い出すのに長い時間が必要だったのです。何に使うのかではなく、集めることそのものが大切だったのでしょう。

集めることをやめても良いと自分に許可した彼は、私に手紙を書いてきました。雑誌をまとめてリサイクルのゴミに出した時は気分がすっきりし、余分な部屋が一つ空いて友人を招くことができるようになったのは素晴らしいことです、とそれには書いてあったのです！

ある別のクライアントの書斎は、新聞と雑誌で埋まっていました。それらの記事を整理する時間ができるまでと、彼女は保管してきたのです。それ以外にも机の横には、いつか整理をするための記事の切り抜きが三つの山になっていました。この山を捨てたらどうですか、と私が切り出すと、彼女の目にはまるでそれが命に関わる行為であるかのような、パニックの色が浮かんだのです。

二人で一緒にその山を客観的に見てみました。彼女の恐れは、うっかり間違って自分の生存に関わるような記事を捨ててしまうかもしれない、ということでした。これは「いつの日か、必要になることがあるかもしれない」シンドロームの一種で、運命は必要な時になっても必要なものを運んできてはくれないという、恐れから来るものでした。

一生、毎日何かを学んでいたいと望むのは素晴らしいことです。でも今日の私たちは情報の山に埋もれていて、自分でそれをふるいにかけなくてはなりません（第二十一章の中の「過剰な情報を管理する」を参照してください）。あなたが記事の切り抜きをしたいのなら、専用のファイルを作って常に中身を新鮮にしておきましょう。定期的に中身をチェックして、古くなった情報は処分してください。もしファイルに振り分けなくてはならない切り抜きの山があるのなら、締め切りを決めて（月末までというように）それまでにファイルしきれなかったら、紙のリサイクルの容器に破棄してください。雑誌を読み終わったら、執着してはいけません。病院、歯科医院、老人ホーム、学校などの公共施設に寄付するか、親戚、友人、同僚などまだそれを読んでいない人にあげる、そうでなければ単純にリサイクルに回しましょう。後生大事にとっておかないでください。

私はこのクライアントに、生きているうちにやってみたいけれども、これらの半端にしていることが妨げになって実現できないことをリストするように薦めました。他にもやりたいことがたくさんあることに気がついた彼女は視点が変わり、もっとも新しい雑誌の山だけを残して、他を処分する決意をしたのです。

次に彼女に会った時の変化は、驚くほどでした。彼女の周りに漂っていた憂鬱《ゆううつ》そうな雰囲気は消え去り、目の下のたるみさえなくなり、とても生き生きとした快活な女性になっていたのです。彼女は切り抜きだけに留《とど》まらず、書斎全体、家全体を整理整頓したのでした。それによって、彼女の人生に新しいエネルギーが吹き込まれたのです。

■センチメンタルな思い出の品

このカテゴリーには、結婚式の思い出の品、クリスマスや誕生日にもらった古いカード、絵葉書、昔の日記、あなたの子供が書いたクレヨンの名画などが含まれます。年齢がいけばいくほど、これらの品々は増えてきます。それらを出してみることはほとんどなくても、あるとわかっているだけで満足なのです。

私のアドバイスですか？　本当に大切なものだけ残して、あとは捨てましょう！　あなたが本当に好きで、良い思い出しかないものだけをとっておいてください。捨てることに罪の意識を感じて義務感からとっておいたもの、またアンビバレントな感情が湧き上がってくるもの、量が多すぎるものは捨てましょう。過去に固執する代わりに、新しい幸せな体験が人生に入ってくるよう、ドアを開放してください。

私が知り合ったある女性は、引き出し何段分も古いクリスマスカードと誕生日カードでいっぱいになっていて、これらには思い出があるからとても捨てることはできないと思い込んでいました。でも実際にそれらを手にとって読み始めると、彼女は過ぎ去った幸せな日々を思い出してどんどん悲しい気持ちになっていったのです。これらを処分する決意をした彼女は、人生を新たに立て直す決心をしました。それまでの孤独な人生に別れを告げて、自分が常々憧れていた社交的な人間に生まれ変わったのです。

あなたが思い出の品を溜《た》め込む人だったら、おそらく一回では整理がつかないでしょう。しばらくしたら、もう一度それらを見直してさらにより分ける必要があります。これは持続してやっていかなくてはならないことで、最初はとても無理だと感じるかもしれません。でも実行するにつれて、どんどん楽になっていくでしょう。

■写真

おたくには写真でいっぱいになった引き出しやアルバムがありますか？　写真は、まだ新しいうちに楽しんでください。コラージュを作ったり、壁に貼ったり、ノートに貼ってみたり、絵葉書にして友だちに送ったりしましょう。それらのエネルギーが新鮮なうちに、最大限に活用しましょう。過去のつらかった時期を思い出させるような写真をとっておいてはいけません。楽しかった思い出のものだけを残して、残りは処分してください。何かもっと新しい、楽しいことのために引き出しのスペースを開けましょう。

近頃は、写真をいちいちプリントしない人も増えています。あなたがデジタル写真を電子的に保管しているのなら、現実的な空間を占領することはありません。エネルギー的にいうと、これは大きな進歩です。でもあなたはコンピューターのハードディスクに整理されていない写真の大きなファイルを抱えていることになり、それはまたそれで問題になってきます。それをカテゴリー別にするソフトウェアを購入しなくてはならず、何時間もかけて整理をすることになります。写真は一瞬で撮影できますが、それを欲しい時に取り出すための整理にはすごく時間がかかるのです。

もしあなたが写真が大好きだったら、なぜそうなのか考えてみましょう。第六章で説明している「自己存在価値のガラクタ」を増やしているのかもしれません。何年か後に写真を見て、「ここに行った」「あれをやった」と思い出しながら、自分の存在を再確認するのです。でもそこにいる間に何か役に立つことをしなかったのなら、わざわざ分類する価値があるでしょうか？　あなたが人生の終わりにこれらの写真を見直して、「これらの場所に行く価値があったのだろうか？　写真を撮るのに忙しくて、そこに行ったことをきちんと体験して学ぶこともしなかったのに」と後悔するはめになりかねません。

■机をきれいにする

あなたが家で仕事をしている、あるいは家にも仕事用の机がある人だったら、次のことを試してみてください。最初のステップは単純な計算です。あなたの机の表面の、何％くらいが見えていますか？　計算する前に机を片付けて、ズルをしてはいけません。ありのままを計算して、現状を直視しましょう。

私はこれまで数え切れないほどの、職場用、自宅用の机を見てきました。その多くは、仕事をする場所がほとんどないということで共通していたのです。大概、紙一枚がようやく乗るくらいの余裕があり、あとは器材やらいつか処理する書類などで埋まっていたのです。

机の上を片付けましょう！　デクラン・トレイシーという人がまさにこのタイトルの素晴らしい本を出版し（残念なことに今では絶版になってしまいました）、世界でもっとも成功している企業家たち何人かを紹介して、彼らの机には最低限の書類しか載っていないことを書いています。机の上が整理されているのは、頭の中が整理されていること。整理された頭には、ビジョンと展望が開けます。あなたが書類に埋もれていたら、人生になかなか進歩が訪れないでしょう。

きれいな机で仕事をすると、能率が上がり、アイディアがひらめき、仕事に充実感が生まれます。いつも仕事を終えた時、机の上をきれいにするのはとても良い習慣です。仕事を始める時に、うんざりするような書類の山から始めるのと、すっきりした机から始めるのでは精神的に全然違います。

早速今から机の上に置いてある、未処理の書類を全部、そして本当に必要ではないものを全て取り除きましょう。本当に必要なものとは、コンピューター、電話、ペンとノートブックなどのことです。その他のもの、ホチキス、ペン立て、クリップ、おもちゃ類、お菓子の袋などは、近くの棚か、引き出しの中へどうぞ。

■紙類をコントロールする

あなたの紙類を管理するコツをいくつかあげてみましょう。

＊不要な紙類を限界まで少なくする習慣をつける。

＊メモはその辺の紙切れに書かないこと。メモ用の一冊のノートを決めて、大切な内容は定期的にコンピューターのファイルに移す。

＊掲示板は常に新しい内容にしておくこと。予定は、カレンダーに書き込む。付《ふ》箋《せん》紙《し》は頭をゴチャゴチャにして、かえってものを忘れてしまう結果になります。多すぎる覚え書きは、エネルギーを放散させます。

＊経理類の書類は常に最新の内容に保っておくこと。財産を築きたいのなら、特にこのことは大切です。請求書は必ず期限までに支払うシステムを決めて、ファイルはわかりやすい場所に保管し、請求書が来るたびにあなたはつけがきく身分であることを喜びましょう！　支払いをする時にストレスを感じる代わりに、支払いを受ける時と同じような喜びを見出《みいだ》すことができれば、人間が作り出したマネー・ゲームを楽しむ方法を見つけたということです。

■バーチャル「ガラクタ」

バーチャル系の「ガラクタ」は、保管場所が限られているのなら、目の前のガラクタ類と同じくらい厄介です。ハードディスクがいっぱいになるまで待たないで、いらなくなった文書は日々削除していくようにしましょう。データファイルを調べて、古くなった文書類は削除するか、あるいはアーカイブに移動させるようにしてください。もし必要ならば、コンピューターの中のファイルシステムを整理し直しましょう。

もっともデータの保存システムは毎年どんどん容量が大きくなり、安価になってきていますから、これらのことはもうあまり必要ではないかもしれません。あなたが必要な容量の保存システムに投資して、必要な時に見つけられるような検索方法の技術を身につけるのが良いと思います。ありがたいことに電子類の「ガラクタ」は、物質的な「ガラクタ」のようにあなたの人生を滞らせることはありません。でも私はコンピューターのハードディスクをデフラグ（最適化）すると、とても気分が良くなります。私が単に自分のコンピューターとエネルギー的に同一化しているためかもしれません。

嬉《うれ》しいことにあなたがコンピューターを扱う技術と十分な保存容量のあるハードディスクを持っていれば、「ガラクタ」が溜まるのは操作に手間取った時だけになります。時間を投資してあなたが使いやすいファイリングとそれを引き出すシステムをセットアップすれば、いくらでもファイルを保存することができます。

■Eメールを管理する

今では人口のかなりの割合が、Eメール中毒状態となっています。あなたの仕事の妨げにならないよう、そのコツを二つあげます。

＊受信ボックスにメールが届いたことを知らせる機能をオフにしましょう。第十七章の「中断」に関するセクションで、その重要性について説明しています。

＊朝一番にメールをチェックするのをやめましょう。本気で言っているのです。仕事上、絶対に必要ならば仕方ありませんが、これは大きな障害物になりかねません。

一日の終わりには、全てに返信したものの、他のことはろくに手につかなかったと感じるでしょう。私はその日にやると決めたことを終えるまで、メールのチェックをしないようにしています。それは大概午後なので、朝はとても仕事に集中できるのです。

第十二章

その他の「ガラクタ」

「ガラクタ」の原因になるものには、様々な形やサイズがあります。これからあげるものは、どこの家にも潜んでいる「ガラクタ」です。

■もう使わなくなったもの

＊古くなったレジャー用品（あまり人気のなかったゲーム類、もう誰もやっていないスポーツの用具、興味がなくなった趣味関連のもの、子供が小さい頃使った玩具など）

＊二度と使わないオーディオ関連の機材（捨ててしまったステレオセットについていたスピーカー、スイッチを入れると雑音がすごいアンプなど）

＊衝動買いして三日坊主に終わったエクササイズ用具（お腹《なか》を引っ込める、太腿《ふともも》を細くする、筋肉をつける用具など）

＊一時期流行《はや》った美容、健康器具類（ホットカーラー、脚のマッサージ器など）

＊便利だと思って買ったけれど、実際には不便だった道具類

＊ガーデン用品（さびた芝刈り機、ボロボロになった屋外用家具、手足の欠けた彫刻

など）

＊車の付属品（ルーフラック、タイヤ、各部分のスペア）

これ以外にも、色々なものがあるでしょう。人々が家や庭の隅に置きっぱなしにしている奇妙なものの例をいちいちあげていっては、きりがありません。あなたも自分で何かそのようなものを発見した時は、思わず笑ってしまうことでしょう。

子供時代の思い出の品で特別な愛着のあるものは、これまで多くの人が試して成功した方法をお奨《すす》めします。それを写真に撮って、現物を処理するのです。写真を見るたびに子供時代の優しい思い出は蘇《よみがえ》るでしょうし、写真なら現物よりもずっと少ない保存スペースですみます。

■気に入らなかった貰い物

これは人によってはとてもデリケートな問題でしょう。でも気に入らなかった貰《もら》い物に対して私がしてあげられる最高のアドバイスは、「処分しなさい」ということです。その理由は、こうです。あなたが心から気に入っているものには、強い活発なエネルギーのバリアが存在しています。ところが気に入らなかった貰い物には、居心地の悪い、葛藤する気持ちのエネルギーが充満していて、あなた自身のエネルギーを浪費させます。そして家のエネルギーそのものも、陰鬱《いんうつ》なものにしてしまうのです。

その品を厄介払いすることに、恐怖感すら感じている人もいます。「でもジェーンおばさんが遊びに来て、彼女がくれた高価な置物がテーブルの上になかったら、どうなるの?」。でも一体、誰のテーブルなのでしょう? あなたが気に入ったものなら構いません。でも恐怖心と義務感から保管しているのなら、あなたは自分のパワーを浪費しています。部屋に入ってそれを目にするたびに、あなたのエネルギーレベルががくんと落ちるのです。

そしてこの場合、「見なければすむ」という考えは捨ててください。戸棚の中にしまい込み、ジェーンおばさんが遊びに来た時だけ出しておこうと考えても、それはいけません。あなたの潜在意識は、それがしまってあることをちゃんとおぼえているのです。家の中にこのようなものが溜《た》まってくると、あなたのエネルギーネットワークはザルのような状態になります。バイタリティがどんどん抜け落ちていくのです。

大切なのは気持ちだということを、忘れてはいけません。品物を保管しなくても、もらったことを感謝する気持ちを保つことだってできるのです。貰い物に対する、自分の哲学を変えてみましょう。あなたが何かを人にあげる時、そのものに愛情をたくさん込めて、同時に執着心を捨てましょう。受け取った人がそれをどのように処理するのかは、当人に任せてください。相手にとってベストなのは、すぐにそれをリサイクルに回したり捨ててしまうことだったり、誰かにあげることだったりしても、それはそれで良いではありませんか（相手の家を、欲しくない貰い物で混雑状態にしたくないでしょう?）。他の人にこのような自由を与えることで、あなた自身の生活にも自由が訪れるのです。

■好きではないもの

自分で買ったものでも、手に入れたその日から実は気に入らなかったというものもあります。そんな時、人はもっと良い品を買うことができるまで、当座のしのぎに置いておくのが普通です。

例をあげましょう。私はアイロンをかけるのが好きだと思ったことはありません。家にあるのは何の変哲もなく、かといって特に問題もない普通のアイロンですが、見ていて使いたいという気持ちにさせてはくれませんでした。私はいつもアイロンをかけなくてすむようなものだけを着るように、心をくだいてきました。

そんなある日、私は友人の家で「アイロンの女王」と呼ぶに相応《ふさわ》しい品を見つけました。それは家にある普通のアイロンの倍の値段がしそうでしたが、使うのがとても楽しそうです。これによって、アイロンをかけるという行為そのものに対する考えが変わりました。友人宅から家に帰ると、私はすぐにそれと同じアイロンを買いに行きました。そして午後いっぱいかけて、楽しみながらタンスの端から洋服にアイロンをかけていったのです。生まれて初めて、アイロンかけが楽しいと思ったのでした。

自分に当座しのぎのものを与えてはいけません。あなた自身に最高のものを与えていると、他の分野でも最高のものが呼び寄せられてくるようになるのです。あなたが現在、経済的に苦しくて、手持ちのもので間に合わせなければならない状況ならば、それらをできるだけ大切にして感謝の気持ちを持ちましょう。そして将来的には、さらに意欲が湧くような品と取り替える収入を得るのだと自分に言い聞かせてください。本当にその気にさえなれば、驚くほどそれが早く実現することを体験した人が大勢います。

■修理が必要なもの

修理が必要なものは、エネルギー漏れの穴のようです。その理由は、あなたの所持品は全てあなたによって保護され、手入れをされているから。とりあえず放置しておくことにしても、あなたの潜在意識はそのことを忘れません。その品を目にしたり、思い出したりするたびに、エネルギーレベルが落ちるのです。

たとえば脚がグラグラしている椅子があったとしましょう。あなたはすでに、それが部屋の中にあることすら忘れてしまっています。ところがあなたの目はちゃんとそれを捉えていて、潜在意識に訴えかけ、体のエネルギーはそれに反応しているのです。修理しようと決めたのに実行していなかった場合、体からさらに多くのパワーとバイタリティが抜けていってしまいます。

私の知人の女性は大きな家に住んでいて、その中にあるもののほとんどは、修理が必要な状態でした。少ない収入をやりくりして子供を育てている人でしたが、才能豊かな彼女はものを直すことくらいやろうと思えばできるはずでした。彼女が家を大切にせずに放置していたことは、そのまま彼女が自分を大切にしていないことを意味します。あなたが家を大切にしてきちんと管理することは、自分自身を大切にしていることになるのです。

家のものを修理したり改善したりすることは、あなた自身への投資だと思ってください。修理をするほどの値打ちがないと思うものは、さっさと捨てるか、あるいはそれを直してでも使ってくれる友人にあげてしまいましょう。

■ダブル・トラブル

ある時、重症の溜め込み癖のある女性の相談を受けたことがあります。彼女の亡くなった両親はさらにひどい溜め込み癖があり、生涯かかって溜め込んだ所持品を全て彼女に残したのでした。ですから、キッチン用品もバスルーム用品も全て二セットずつ、家具も二セット、すべてのものが二セットずつ彼女の家の中に詰め込んであったのです。物によっては三つも四つもあるものもあり、とても家の中には収容しきれませんでした。それでも彼女は、それらがまだ使えるという理由で処分することができなかったのです。家の中はすっかりエネルギーが滞り、呼吸をするのも苦しいほどでした。彼女が相続した品々を整理しようと四苦八苦している間に、彼女の人生はすっかり停滞してしまったのです。

あなたの戸棚を開けて、それぞれの道具がいくつずつあるのか数えてみましょう。スペースが十分にあるのなら、余分にあっても別に構いません。でもそうでないのなら、ものを減らしていきましょう。

■相続した「ガラクタ」

亡くなった人に敬意を表して、その所持品を大事にしなくてはならないという義務感にかられている人は大勢います。でもそれを残してくれた人は、すでに霊的存在になって物質には執着がなくなっていることを忘れてはいけません。あなたがそれを処分しなくてはならないとしても、理解してくれるでしょう。もし処分したいと思うのなら、自分自身に許可をあげて下さい。あなたがそれを気に入らなかったら、あるいは使うことがなかったら、誰か他の人にそれを相続してもらいましょう。

ある読者は、このような手紙を送ってきました。

あなたの本によって、人生が変わりました！　ありがとう！　私たちは家族みんなのために何冊も買って、今朝、母から感謝の電話が来ました。彼女はようやく、夫の死から立ち直る気持ちになったというのです。

これを別な側面から眺めてみましょう。あなたが死ぬ前に所持品の整理をしなければ、家族や友人にどのような厄介ごとを残すことになるでしょう？　もっとも次の手紙のような遺産を残すことを考えているのなら、別ですが。

あなたの著書を読んでから、今私が住んでいる祖母の家をきれいに整理する決心をしました。でも家族たちは、私が「ママのもの」を処分することに反対でした。でも古いトランクの中身を調べたら、ハンカチに包まれた五千ドル以上の現金が出てきたのです。家族たちはそれによって俄然《がぜん》興味を示し、みんなで一緒に片付けると、それまで隠してあった八千ドル以上の現金を見つけたのでした。

人が死んでからどのようなことが起きるのかもっと知りたい人は、サミュエル・サガンの『Death, The Great Journey』を読んでみてください。clairvision.orgのウェブサイトから注文できます。私はこの本が生涯読んだ中でもっとも大切な一冊だと感じているので、あなたもぜひ読むことをお奨めします（訳注：二〇一三年九月現在、この本はCD版のみ入手可能）。死に関してだけではなく、生きるということに関して、新たな視野を開かせてくれる本だと思います。この本を読んだ後、あなたは「ガラクタ」に対する執着を見直す気になるでしょう！

■箱、箱……

以前うちに来た運送屋さんが、身を屈《かが》めて大きな箱を持ち上げた時の顔が忘れられません。その朝、彼が持ち上げてきた他の箱と同じように重いだろうと予想していたのに、勢い余ってよろめいてしまったのです。当時は私もまだ、空箱を集めていたのです！

個人的に私は、箱を見ると満足感と安心感をおぼえます。時にはもらったプレゼントそのものよりも、入っていた箱のほうが気に入ってしまうことすらあります。でもこれは、スペース的にとても高くつく趣味です。それに風水的に言うと、「空き箱」のエネルギーを家の中に保存しておくのは、良いことではありません。それが保管してある定位盤の位置が象徴する人生の側面を、空っぽな感覚で満たしてしまうのです。

今では私はその数をぐっと制限し、とっておくだけでなく、必ず有効に再利用するように心がけています。

新しい家電類などを購入したら、箱は保証期間だけ保存しておいて、それが過ぎたら捨てましょう。「万が一」引っ越す時のために箱を永久にとっておくのは、やめてください。もし本当に引っ越すことになっても、運送用の普通のダンボールに詰めるのは簡単なことです。もう一つ、箱を保存する良い方法は、分解して平らにしてしまうことです。スペースもかなり節約できますし、何より「空の」エネルギーがなくなるからです！

■謎の物体

特に「ガラクタ」を入れておく引き出しには、誰でもこのような品があるでしょう。何年もとっておいてついに使わなかったスペアパーツ、もう持っていない機材を壁に打ち付けるためについてきた部品、落ちていたけれどどこから来たのかよくわからないゴムの部品など。これらは全て、処分して良いものの筆頭にあげることができます。

第十三章 大物たち

「ガラクタ」をやっつけにかかる時、大物たちを忘れてはいけません。いつも目障りだった大きな家具、リビングルームを占領しているグランドピアノ、ついに使うことのなかった丸めたままの絨毯《じゅうたん》、裏庭でさびかかっている中古車、もう十年も部屋の隅で埃《ほこり》をかぶっている常緑樹の植木鉢など。

この中にはあまりにも巨大で動かすことが面倒なので、いつの間にかあなたはその存在を無視し、それを透かしてものを見る習慣がついたものもあるでしょう。

あなたは無意識に無視できるかもしれません。でもそのものが大きければ大きいほど、周りに滞るエネルギーもまた巨大です。ですから、すぐに処分するのは、とても大切なこと。特にその存在が、あなたの人生を停滞させるシンボルの役割を果たしているのなら、なおさらです。

庭の、繁栄を象徴する部分でさびついている中古車は、あなたの経済状態を確実に悪化させます。仕事を象徴する部屋の隅でぐったりしている植木は、あなたをいつも疲れさせ、仕事や人生に対する意欲を失わせます。家の中にある、役に立たない家具はどれもあなたの人生に障害をもたらすのです。

もしかするとあなたが大物の「ガラクタ」を集めたのではなく、単に家が今ある家具を収納するには狭すぎるのかもしれません。大きな家から小さめの家に移って、それまで使っていた家具を全て持ち込んだ場合などに、よくあるケースです。あるいは人から家具をもらいうけたり、もっと広い家に引っ越すまでと思って所持したりしているのかもしれません。

このような場合には、あなたは現実的な判断をして家財道具の減量を始めなくてはなりません。家の中が家具で満杯で、人間のためのスペースが残っていないような場合、あなたは人生の選択に制限があると感じるでしょう。空間に余裕を持たせることによって、あなたの人生に新たな可能性が花開いてくるのです。

地元で張り紙をする、あるいはインターネットなどを使って、それを喜んで引き取りに来てくれる人を見つけることができるでしょう。場合によっては、お金を払ってくれるかもしれません。または、世界各地で無料のリサイクルを奨励している、http://www.freecycle.org/group/JP/Japan（訳注：日本の読者のために日本支部のアドレスにしました）に会員登録するのも良い方法です。これはＮＰＯの団体で、ここを通していらないものを提供し、必要なものを探すことができます。彼らのモットーは、「一個一個の贈り物が世界を変える」です。大物、小物、どんなものでも。世界中に支部があり、何百万人もの会員がいます。

インターネットで処分する方法が見つからなかったら、誰かにお金を払ってそれを処分してもらわなくてはならないかもしれません。あるいは友だちや家族に手伝ってもらってそれを分解し、リサイクルするか、地元のゴミ処理のルールに従って処分することになるでしょう。でもいったんそれがなくなってみると、驚くほどすっきりして、なぜ今まであんな窮屈な思いをしてきたのだろうかと思うことでしょう。

第十四章

他の人たちの「ガラクタ」

家族や友人、同僚などいつもなら気の置けない間柄の相手でも、いったんあなたが彼らの「ガラクタ」に手をつけようものなら、たちまち火花が飛び散ることがあるかもしれません！

私がよく聞かれる質問に、他の人のガラクタ、特に同居人の「ガラクタ」についてどうすればよいのかという、というものがあります。

■パートナーとの「ガラクタ」問題

あなたがパートナーと「ガラクタ」について話し合うと、二人の間に長いこと横たわっていた問題が表面化する場合があります。ガミガミ小言を言ったり、口論したり、脅したり、最終通告などは、溜《た》め込み癖のある相手をますます意固地にさせるだけ。そして、直接相手から頼まれたのでない限り、絶対に絶対に相手の「ガラクタ」を勝手に処分してはいけません。人は「ガラクタ」に深い執着を持っていて、それが他人の手によって乱されると怒りを感じるのです。

他の人を変えることは決してできないことを悟りましょう。あなたが変えることができるのは、あなた自身だけです。長年この講習をしてきて、他の人たちの「ガラクタ」に関して有効なのは、これからあげる二つだけということがわかりました。

■教育

人々が「ガラクタ」を片付けようという気になるためには、それがどれほど悪影響を与えているのかを理解しなくてはなりません。私の講習に参加した人の多くが、数ヶ月後にはパートナーを伴って再び戻ってくるのは、そのためなのです。私が本を書くようになった理由の一つは、いちいち私の講習に引っ張ってくることなく、できるだけ多くのパートナーたちにこのメッセージを広めたいからです。

■手本を見せる

大勢の人たちの証言によりますと、本人たちがいらないものを整理し始めると同時に、特に何も言わなくても、家族や親しい友人たちも整理を始めることがよくあるそうです。その多くは、相手とそのことについて話し合ったことすらなかったとのこと。遠くに住んでいても、波長の合う人々にメッセージが届いていたのです。

私の本を読んで熱心に整理整頓を始めたという読者から、とても印象深い話を聞きました。彼女はこの作業に、たっぷり二週間を費やしたそうです。その間に、三百キロ離れたところに住んでいて、すっかり疎遠になっていた彼女のおじいさんが、突然四十年分の「ガラクタ」を庭の小屋からきれいに片付け始めて、家族の者たちをびっくりさせたそうです。

もう一人は、ロンドンで週末に私の講習を受けた女性でした。彼女が「ガラクタ」クリアリングの講習を受けている間に、彼女の夫は発作的に大掃除を開始して、車で六往復分のゴミを捨てに行っていたのです！

実際、これは珍しいことではありません。私が講習を行うたびに、クラスの中に座っている誰かの身近な人が、発作的に大掃除を始めるという報告がいつも届くのです。私がスペース・クリアリングを指導した女性の一人が、ある時パートナーの「ガラクタ」について素晴らしいアドバイスをくれました。彼女は当然のごとく、無駄のないきちんと整頓された生活をしていましたが、彼女の夫の汚れた机の上が気になっていました。それは彼女の暮らしの一部でもありましたから、彼女自身の何かを反映しているのだろうという気はしたものの、何が原因なのか思い当たることはありません。でもある日、その理由がわかったのです。彼女の夫は物質的には整理整頓が苦手でも、頭の中はいつもきっちり整理されている人でした。その反面、彼女は物質面ではいつもすっきりしていたのに、頭の中はいつもゴチャゴチャだったのです。

それから何が起きたでしょう？　彼女がそのことに気がついて、精神的にも整理整頓をするよう心がけ始めたと同時に、彼女の夫はいい加減に机をきれいにする時期が来たと決めて実行し、それからずっときれいに保っていたのでした！

■子供の「ガラクタ」

一体どこからやってくるのでしょう？　子供の散らかすものは、あっという間に広がり、注意していないと驚異的な速さで家中を侵略してしまいます。

子供にとって一番大切なのは、自信を持たせてあげることです。子供が愛されていると感じ、精神的に安定していて幸せだと、あまり「もの」に執着することはありません。小さいうちからいらないものを溜め込まないように気をつけさせれば、将来苦労することもないでしょう。

自分で散らかしたものは、自分で片付けさせましょう。新しい玩具を買ったら、その保管場所を子供と一緒に決めて、子供が自分でしまうことができるようにしましょう。

もう使わなくなった玩具を定期的に整理させて、どれをとっておいてどれを処分するのかを決めさせましょう。最終的には、本人に決めさせてあげてください。あなたから見ればとっくに用済みで天国へ行ってしまったようなものでも、子供にとっては大切な意味があり、まだまだ使う価値があることだってあるのです。

整理整頓ができない子供の場合は、色々な原因が考えられます。あなたの子供がちっとも大人の言うことを聞かなかったら、子供はみんな親の潜在意識に反応していることを思い出してください。あなたがいつも子供にガミガミ言っているような状態であれば、まずは自分の「ガラクタ」を先に解決したほうが良いでしょう。その他、散らかし癖は子供なりのトラウマに対する、助けを求める心の叫びである場合もあります。

以前にスペース・クリアリングのホームページに掲載した、心に残る読者からの手紙を紹介します。

私は九歳で、以前はひどい溜め込み癖がありました。「ガラクタ」を溜め込む理由のうち、三つが当てはまっていたのです。「いつか必要になる」意識と、縄張り意識、そしてケチ精神が原因でした。以前は手紙、レシート、映画の半券、着られなくなった服など、全てとっておいたのです。古い洋服を誰かにあげたり、何かを処分したりすると、悲しい気分になりました。あなたが本を書いてくれたおかげで、私や多くの人が自由になりました。どうもありがとう。

■ティーンエイジャーと「ガラクタ」

体の中でホルモンが活発に活動し始める青春時代は、部屋をきれいに保っておくなんてことは人生の最優先事項ではないことを、わかってあげなくてはなりません。子供の頃からすでに「ガラクタ」を溜め込まない習慣がついているのでない限り、そんなことにはとても構っていられない、大きなお世話だと思うでしょう。ティーンエイジャーの溜め込む「ガラクタ」は、通常の場合、精神的な混乱が外側に現れているのです。

ある時、MTVの電話相談に出演し、若い人たちから風水の実践の仕方についての質問に答えました。彼らがもっとも方法を知りたい三つの質問は、テストに合格すること、友人を作ること、そして親から放っておいてもらうことでした！

ほとんどのティーンエイジャーは、もっと精神的にも肉体的にもプライバシーが欲しいと望んでいます。子供が親の空間を尊重しなくてはならないのと同じように、親もこの願いを尊重しなくてはなりません。

けれどもティーンエイジャーたちの「ガラクタ」と混乱を決まった部屋だけに収めさせ、定期的に片付けなくてはならないと約束させるのは、無理なことではありません。

■友人、親戚の「ガラクタ」

時には自分の「ガラクタ」はそれほどなくても、友人、近所の人、親戚などのものを管理するはめに陥る人もいます。「ニュージーランドに行っている間に、このソファを預かっていてくれる？」と頼まれ、二年たったのにその友人はまだ帰ってくる気配もなく、ソファには根っこが生え始めてきました！

あなたの空間を預かりものでいっぱいにする前に、よく考えてください。そして同意をするのなら、せめてタイムリミットを決めておきましょう。「この不細工なソファ、預かってあげる。でも○○ヶ月以上過ぎたら、薪《たきぎ》にするか、チャリティ用のクッションの中身に詰めてしまうわよ」というように。最初にどう処分するのか明確にしておけば、予定が変わってもそれが原因で友情が壊れることはないでしょう。

オーストラリアに住む友人が、私にこんな話をしてくれました。彼女は海外に住んでいる間に、所持品を貸し倉庫に保管していました。そこに入れるために七百ドルかけたのに、それを最後に売り払って手にしたお金は六十ドルでした。同様に人々があなたに預かってほしいと頼むもののほとんどは、入っている箱ほどの値打ちもありません。ですから預かるのを断るのに、良心の呵責《かしゃく》を感じる必要はないのです。

第十五章

「ガラクタ」と風水の象徴学

「ガラクタ」を片付けるもっとも良い方法は、ものをやたらとっておくのは、あなたにとってよくないということを理解することです。あなたの家の「ガラクタ」が与える影響の象徴学は、二通りあります。一つ目はものとあなたが個人的に持っているつながり、もう一つは物体そのものが発する波動です。

■ネガティブなつながり

あなたの家に、良くない思い出を思い起こさせる品物があるとすれば、たとえそれがまだ使えるものであっても、家のエネルギーを滞らせ、あなたの精神を曇らせています。

以前に私が付き合っていた恋人は、腹を立てると見境なくものを蹴る人で、ある日私のポータブル・テープデッキが犠牲となりました。二人の関係は長く続きませんでしたが、私はそのテープデッキをその後も持っていました。使うたびにそのへこみを見てはその時のことを思い出しましたが、機能に問題はなかったのでそのまま使い続けていたのです。

こうして一年が過ぎ、ある日私は再びそれを目にして事件を思い出すと、もう二度とこのことを思い出したくないと決意しました。このデッキは、私が男性の振る舞いに失望する気持ちの象徴になっていたのです。

私はすぐに新しいテープデッキを買いに出かけ、古いほうは必要としていた友人にあげました。彼女はとても喜んでくれました。なぜ上の部分のプラスチックがちょっとかけているのか彼女は知りませんでしたが、キズモノのテープデッキでも、ないよりはずっとましだったからです。でも私にとっては、それを目にするたびに当時の思い出が蘇《よみがえ》ってエネルギーを低下させていたので、手放して本当にすっきりしました。そして同時に、もっと性質《たち》の良い男性を引き寄せるようになったのです！

■古くなった関係

時にはそのものとの関係はネガティブでなくても、単に古くなっている場合もあります。

たとえば、新しい恋愛を求めている人に相談を受けた場合、本人の家をチェックすると必ずまだ未練のある過去のパートナー関連のものが見つかるのです。本人が意識している、していないにかかわらず、エネルギーは常に過去を振り返っているわけですから、新しい縁がなかなかやってこないのは当たり前のことなのです。

おたくの家具のうち50％が思い出したくない過去を思い起こさせるのなら、あなたのエネルギーの50％は今現在ではなく過去に向けられています。そのままにしておくと、進歩はかなり鈍いペースになるでしょう。同じように家の中が過去に気まずいことがあった親戚や友人のことを思い出させる家具でいっぱいだとしたら、やはりあなたのエネルギーは浪費されています。

新しい大切な関係が始まる時は、お互いにとって新しい場所に引っ越さなくてはならない理由もここにあります。古い関係を引きずった場所には、古いエネルギーが澱《よど》んでいるのです。

徹底的なスペース・クリアリングを行えば、澱んでいるエネルギーを払うことができますが、あなたがそれを目にした時に湧き起こる感情まで抑えることはできません。これに対処する一つの方法は、そのものが連想させていた古い感情が消えるまで、ゆっくり時間をかけて、新しい、強くてポジティブな感情をそれに植えつけることです。

知人の女性は、おばあさんから譲り受けたビクトリア調の家具を部屋全体と調和するように明るい水色と黄色に塗り替えてしまったことで、これに成功したのです。家具を塗り替えながら、彼女は思い浮かべられる限りの楽しい感情を心に湧き上がらせて、以来その家具を目にするたびに思い出すのはその作業のことでした。

もう一つの方法は、いっきに全てを処分して新しいものに買い換えること。私はこれを人生で二回実行しました。どちらの時もとても勇気がいりましたが、同時に言葉では言い表せないほど気持ちの良い、生まれ変わるような体験でした。私にとっては必要だったものの、ほとんどの人たちはここまで極端に走る必要はありません。もっとも嫌な思い出があるものから順に、状況に応じて時間をかけながら処分していけば良いのです。

■波動

私は以前から、絵や写真の前に立ってそのエネルギーを感じ取る能力がありました。ある時、ジョン・ダイアモンドが書いた『Life Energy and Emotions』という本に出会い、その中で私がなぜこのようなことができるのか、説明してあったのです。

彼はウィンストン・チャーチルが特徴ある表情をしている写真を例に出して、それには「ほとんどの人はこの写真を見ている間、肝機能が弱っているという診断を受けるだろう」との説明書きがついていました。もう一人、違う人物の写真を出して「ほとんどの人は、この写真を見ている間、心臓機能が弱っている診断を受ける」と書いてあり、その他にも様々な機能について触れています。彼は私たちの体にあるエネルギーのチャンネルに関連づけて、ネガティブとポジティブな感情のもたらすものを研究したのです。

中国の医学によると、私たちの体の中にはエネルギーの流れをつかさどる十二対の経絡が通っています。鍼《はり》治療とは、その流れをスムーズにしてそれぞれの経絡につながっている内臓器官のバランスを取り戻すことだと説明しています。ジョン・ダイアモンド氏の説によると、これらのエネルギーの経絡の機能と私たちの健康は、感情の起伏に大きな影響を受けているというのです。

たとえば、あなたが不幸に感じると肝機能は低下し、元気になると機能は好転します。心臓機能は怒りを感じると低下して、愛と寛容さによって強化されます。脾臓《ひぞう》はハラハラすると機能を低下させ、将来の展望に自信を持つと丈夫になるのです。これはとても興味深い研究で、一読の価値がある本だと思います。

中でももっとも私が興味を引かれたのは、これと風水との関連性でした。これまで行ったカウンセリングで、実に多くの家に、本人が望んでいるのとはまったく逆の波動を発する絵、写真、油絵、ポスター、彫刻、装飾などが置いてあるのを見てきました。

ある女性は、居間のもっとも中心となる、キッチンへ続くドアの横に巨大な自画像を飾っていました。それは陰気な色彩の、暗いポートレートだったのです。日に何百回とそれを目にしていた彼女は、そのたびに私がそれを見てすぐに感じた、陰鬱《いんうつ》な気持ちになっていたことがわかりました。彼女はこの絵に多額のお金を払っていたので、処分するのを嫌がりました。

そこで私は、せめて何ヶ月か絵をはずして暮らしてみてくださいとアドバイスしたのです。彼女は信じられないほど気分が良くなったことに驚いて、それから二度と絵をかけませんでした。

本書のカバーに載っている私の写真は、見た人のエネルギーが高まるようにしてあります。もともとそれを意識して撮影した写真で、世界中のあらゆる文化、社会環境で暮らしている読者からの反響でそのことを確認しています。彼らは一様に、「あなたの写真を目にしたとたん、あなたの主張していることをもっと知りたい、という気持ちになりました」と言ってくれます。このような風水の象徴学は、世界共通なのでしょう。

■あなたの家を象徴的に改造する

さてあなたの家の中を歩き回って持ち物を一つ一つ見ながら、「これは何を象徴しているのかしら？　私が望んでいる効果を与えてくれているのか、それとももっと何か良い方法がある？」と自問してみましょう。

まずあなたのエネルギーレベルを引き下げているものを処分することから始めましょう。たとえば、下に向かってぶらさがっている大きな物体（植木鉢、装飾品など）。

これはあなたが天井の低い家に住んでいるとしたら、特に大事なことです。そうでなくても、あなたのエネルギーは圧迫されていますので。

次に、以下のことをチェックしてみてください。あなたはものを個別に整頓していますか？　それともペアで、あるいはグループ分けにしていますか？　あなたの装飾品類が単一で並んでいるのなら、あなたの人生は孤独な体験をしがちになります。パートナーを求めている人は、ものをペアで並べてエネルギーアップをはかりましょう。幸せな結婚生活を送っている人たちは、ごく自然に何でも二つずつ買う習慣がついています（試しに、周りの人たちに聞いてみてください！）。あなたが独身ならば、一人でいることに慣れているので、最初は違和感をおぼえるかもしれません。でもそれが自然なことに感じられるまで続けていれば、あなたのエネルギーは望んでいたような方向へと変わっていくのです。

それから、風水定位盤を当てはめて象徴学的に分析してみましょう。家の各部分、部屋の各部分には、あなたが人生で望んでいるものを象徴するものが存在しているのです。

ある顧客は、いつも上司と言い争いをしてばかりいると言っていましたが、彼女の家の職業をつかさどる部分には、戦いの場面を描いた巨大な油絵がかかっていたのです。もう一人の顧客は手品師として成功している人物でしたが、なぜかいつもギャラの支払いでもめていました。実は彼の家の富を象徴する位置に、マジックミラーや種仕掛けのある偽札を保管していたのです。

家の中の全てをチェックして、「これは何を象徴していて、それを見ると私はどんな気持ちになるのだろう?」と自分に問いかけてみてください。次の章の「ガラクタ」を処分する具体的な方法は、あなたの持ち物を整理するのにとても役立つことと思います。

第三部

「ガラクタ」を処分する

第十六章 あなたの「ガラクタ」の処分の仕方

さてこれまで、様々な人が試してきた「ガラクタ」の処理法を三つあげましょう。

＊自然のままに任せる方法（別名、決断放棄型）。自然に腐っていくような場所に放置して、嫌でも捨てざるを得なくする方法。ある時、家から遠い土地にバカンスに来ていた男性が私にこんな話をしました。「いらないものをかなり処分して、残りは外にある小屋に入れてきました。戻る頃には露に当たって捨てざるを得ない状態になっていると良いのですけど」

＊死ぬまで待って、親戚に片付けてもらう方法。何世紀もの間、人々がもっとも活用してきたのはこの方法です。さらに一つ一つをどう処分してほしいか、遺書に詳しく残すことすらできるのです！

＊責任を持って自分で片付ける方法。これはもっとも健全で、良いカルマを残し、「ガラクタ」に振り回されることなく自分の人生を思うように展開していくことができるようになります。私がお奨《すす》めするのは、この方法です。

■始めるための準備

一番大変なのは、疑いもなくあなたが腰をあげることです。いったん始めたなら、どんどんエネルギーが湧いてきて自然に続けていくことができるようになります。滞っていたエネルギーがリリースされ、もっと良い方向に使うことができるようになるのです。そして片付ければ片付けるほど、どれほど気持ち良いものかすぐに感じることができるので、続ける価値があることを実感できるでしょう。

やる気を出すために私が使う秘訣《ひけつ》は、明日引っ越すことになったら、処分するゴミは一袋や二袋ではすまないのだから、今その整理をやってしまおうと自分に言い聞かせることです。これをやり続けてきたのは、そのほうが日々の暮らしがうまく進展していくからです。私にとって努力をして練習していかなくてはならないことではなく、これがうまくいっているので、他のやり方をしようと思わないだけでした。いつもやっきになって片付けているという訳ではありません。日々快適に過ごせるように、定期的にこれにちょっと時間を費やす習慣をつけただけなのです。

ではこれから、大掛かりな「ガラクタ」クリアリングの秘訣を、いくつかお教えしましょう。

■思いや感情を管理する

本書は、何をして、何をしてはいけないかを指図する本ではありません。本書の中では「ガラクタ」がどのような影響を与えるのかを説明するだけで、その情報をどう使うかはあなたが決めるのです。

「しなければならない」という言葉は、もっとも力を萎えさせる言葉です。この言葉を使うと、あなたは罪悪感や重圧感をおぼえることでしょう。私からのアドバイスは、この言葉を使うのを永遠にやめて、代わりに「できる」に置き換えることです。

「私は今日、『ガラクタ』の処分を始めなければならない」と、「私は今日、『ガラクタ』の処分を始めることができる」の違いを、感じてみてください。「できる」はあなたに選択権を与えて、それがうまくいけば自分を褒めてあげることができます。「しなければならない」はあなたを憂鬱《ゆううつ》な気分にさせ、咎《とが》められているような気分になり、達成してもあまり嬉《うれ》しくありません。

もう一つ言うなら、「できない」を「やらない」に置き換えてみてください。これができれば大きな進歩です。「これをとっておくのか、捨てるのか、決めることができない」と「これをとっておくのか、捨てるのか、決めない」の違いを感じてみてください。

「できない」の場合、あなたには夢も希望もありません。「やらない」の場合は、あなたの意志でそう決めたのです。

そこで初めて、それがなぜなのか自分に問いかけることができるようになり、自分でも気がついていなかった潜在意識の部分に入っていくことができるのです。「これをとっておくのか捨てるのか決めないのは、これが母親／父親／配偶者に対する感情を湧き上がらせるから」というように。

もちろんまだやるべき仕事は残っています。でも少なくとも、あなたは自分に正直になったのです。

■クリアリングのタイミング

いつ始めても、構いません。クリアリングは普通は家の中でやるものですから、昼でも夜でも、一年のどの季節でも、雨でも晴れでも関係ありません。でもあなたがたまたまこの本を読んでいるのが春だったら、とても良い始め方と言えます。自然が息吹き始めるこの時期は、本能的に大掃除をしたくなるものなのです。あなたの住んでいる土地が、乾季か雨季の二シーズンしかない地域だったら、どちらかの季節の始まりに行うのが良いでしょう。

もう一つの良いタイミングは、バカンスから帰ってきた時です。心機一転してあなたは何をとっておいて何がいらないのか判断しやすくなっているでしょう。同じように、引っ越しの時、病気が快癒した時、新しい職場に移った時、新しい恋人ができた時など、あなたの人生の新しい節目も良いチャンスです。

でもこれらのどれかが起きるまで待つというのを言い訳にして、実行を引き延ばしてはいけません。もう一度繰り返します。いつ始めても、構わないのです！

一般的に、私は年に一度は大々的な大掃除をすることを薦めています。あなたが人生をうまく展開させていきたいと願うのなら、定期的なチェックは必須です。最初に思い切って処分をすれば、後は比較的楽になります。

■早く済ますか、ゆっくりやるか

どのような「ガラクタ」がどのくらいあるのか、そしてどのくらい片付ける気があるのかは、人によって様々です。でも片付けるにあたって、誰もが次の二つのうちのどちらかを選びます。

最初のタイプは、この本を読んで、全ての予定をキャンセルし、夢中になって竜巻のように家中を片付けてしまう人。もう一つのタイプは、段階を踏んでゆっくりやる人です。

あなたに時間がたっぷり必要なら、自分はそういうタイプなのだと割り切りましょう。あなたは忙しすぎるのか、ストレスが溜《た》まっているのか、あるいは単に「ガラクタ」の量が多すぎて圧倒されているのかもしれません。あせらずに、自分のペースでそのつどできる範囲で行ってください。でも次のことを忘れてはいけません。

あなたが忙しすぎるのなら――「ガラクタ」を溜める時間はあったのですから、それを片付ける時間だって見つけられるはずです！

ストレスが溜まっているのなら――「ガラクタ」をきれいにすることは、心配、ストレス、心労に対する最高のセラピーです。

圧倒されているのなら――次にあげるステップを踏んでやれば、難しいことは何もありません。これまで大勢の人たちがこのやり方で成功し、中にはあなたよりもずっと重症だった人もいたのです（あなたがそこまで重症ならば、本書だってここまで読み続けることはできなかったはずです）。

■リストを作る

はじめに、ノートとペンを片手に家の中を歩き回り、各部屋のどこに「ガラクタ」

が溜まっているのかチェックしてください。あなたが家にいないのなら（あるいは単に怠け者なら！）、目を閉じて部屋から部屋へと歩き回っていることを想像してください。どこにいらないものが溜まっているのか、わかるはずです。

次に紙に、比較的軽症な「ガラクタ」ゾーンから、重症の場所へと順にリストを書き写していきます。軽症の場所の例としては、ドアの後ろ、引き出し、バスルームの戸棚、小さな棚、ブリーフケース、道具箱など。

中くらいの場所では、洋服ダンス、キッチンの棚、シーツ類を入れておく棚、机、ファイル・キャビネットなど。

そして重症の場所は、物置、地下室、屋根裏部屋、庭の道具小屋、車庫など、きれいにするのに明らかに時間がかかる場所です。

さて、あなたがもっともイラつく原因となる場所を選び出しましょう。その中で、軽症から重症の場所の順番に始めていくのです。最初に小さな場所を片付けることができれば、もっと大規模な場所に取りかかる元気が出てきます。そしてもっとも気になっていた場所をクリアリングすることがどれほど気持ち良いものか実感できれば、これまで放置しておいて「ガラクタ」が自然に消滅してくれないかと願っていた場所にも、手をつける意欲が湧いてきます。

■やる気を起こさせる

もう一つやる気を奮い立たせる方法は、風水定位盤を使って家のどの部分の「ガラクタ」があなたの人生にどのような影響を与えてきたのか、調べてみることです。ほとんどの人は、これがとても正確な結果を出していることに驚きます。それぞれの分野で、将来あなたがどのような展開を望んでいるのか、考えてみてください。そのことを頭に置いておくと、片付けが終わるまで自分を奮い立たせておくことができるでしょう。

■「ガラクタ」処分に役立つスペース・クリアリング

本書にはあなたが「ガラクタ」を処分する気になるような情報をたくさん詰め込んであり、これを読めばあなたが実行する気になることを願っています。

でもあまりにも「ガラクタ」が多すぎて、まだその気になれないというのなら、先にスペース・クリアリングを行うことは大きな助けになるでしょう。最初に「ガラクタ」を片付けられるのなら理想的ですが、あまりにも、ものが多いというのならその段階をはぶいて儀式の残りを実行し、部屋の中のエネルギーの流れを活性化させましょう。

後に「ガラクタ」を片付け終わったら、あなたは別人に生まれ変わっています。新しいあなたに相応《ふさわ》しい家にするために、再びスペース・クリアリングを行う必要があります。でも儀式を二度もやらなければならない、と負担に思う必要はありません。「ガラクタ」を溜め込んでいる人なら誰でも経験していることですが、それを処分するまでは全てのことが億劫《おっくう》に感じるものです。スペース・クリアリングは私が知っている限り、「ガラクタ」の周りに溜まっている不浄なエネルギーを解放するもっとも簡単な方法です。それによってどれほど「ガラクタ」処理が楽になるかを実感してみると、あなたはスペース・クリアリングを何度もやることが少しも苦に感じなくなるでしょう。

この儀式の詳しいやり方に関しては、私のウェブサイト、www.spaceclearing.comで、これに関する私の最新著書を参考にしてください。

■最後の準備

ここに到達する頃には、あなたはどれほどの「ガラクタ」を片付けなくてはならないか、かなりのところまで理解できました。それを敷地内から運び出す算段をしなくてはなりません。すでに粗大ゴミの引き取りの手配をしたのなら別ですが、そうでなければ段ボール箱、あるいは大きなゴミ袋をいくつか用意しましょう。これらはあなたの援軍になるのです。

箱を使うとすれば、あなたに必要な四つの箱は、

＊ゴミ箱行きの箱――本当に捨ててしまって良いものは、この中に入れます。

＊修理用の箱――修理、改造などが必要なものはここです。直したら本当に使うものだけを入れて、修理する締め切りを自分で決めてください。

＊リサイクル用の箱――リサイクルするもの、売るもの、人にあげるものなど。誰か他の人が使えるように、社会に戻してあげるのです。

＊移動用の箱――家の中を移動する必要があるもの（他の部屋へ、あるいはまだ片付けていない場所へ）。

あなたが初心者ならば、おそらく第五の箱も必要になってくるはずです。

＊ジレンマ箱――どう処分するか、まだ決められないもの（これについては、この章の中で後にまた述べます）。

作業が進むにつれて、リサイクル箱をもっと細かく分類する必要が出てくるかもしれません。たとえば、

＊プレゼント用箱――友人や親戚にあげると決めたもの。

＊チャリティ箱——チャリティ、図書館、学校、病院などに寄付するもの。
＊預かりもの箱——人から預かっていて返却するもの。
＊売る箱——売れるもの、あるいは何かと交換できるもの。
＊その他の箱——紙類や瓶類など、リサイクルのための分別。

■あなたの「ガラクタ」を片付ける

小さなところから始めましょう。手始めは、楽に片付けられるところが良いのです。引き出し、あるいは小さな戸棚などが理想的です。作業が終わったら、リストに横線を引いて満足感をおぼえてください。

ほとんどの人は、一カ所が終わるととても気分が良くなり、次、そしてまた次と取りかかっていきます。小さな場所が一つ一つきれいになっていくにつれ、次に向かうエネルギーが放出されていくのです。

自分のペースで、一度にできる分量からやっていきましょう。これが数時間で終わるか、数日、数週間、あるいは数ヶ月かかるかは、あなたの「ガラクタ」がどれほどの量で、どこまで徹底してやるかにかかっています。あなたの人生の明るい変化は、あなたの「ガラクタ」クリアリングの速度と内容に比例することを忘れてはいけません。

小さな場所をいくつか片付けたら、次は中クラス、そして大掛かりな場所に手をつけましょう。それでも大きな場所を細かく区分して、一度に取り扱える規模にしてください。戸棚の中、部屋の中をいくつかに分けるのです。家全体をこのように細かく区分して、実行しながら自信をつけていきましょう。

戸棚の中身を一度に全部出して部屋の真ん中に山のように積み上げて、いっきに整理しようという間違いを犯してはいけません。量が少ない場合は別ですが、この方法でうまくいったという人を私はほとんど知りません。

もっとも始める段階ですでに部屋の真ん中にものが積み重なっているという状況ならば、最初にそれをしまう十分なスペースがあるかどうかをチェックしてください。それからものの山をいくつかに分けて、少しずつ処理していきましょう。

■ものを分別する

ものを分別する時、後でどうするか決めるものの巨大な山を作ってはいけません。一つ一つものを取り上げて、その場でどうするのか決めてください。とっておくのか、処分するのか。もし処分するのなら、ゴミ箱、あるいは適切なリサイクル箱に入れましょう。とっておくけれど修理が必要なものは、修理箱に入れます。残すものは全て、どこに置くのか決めてそこに持っていきます。あるいは移動用の箱に入れておけば、作業の途中で家の中を歩き回る必要がなくなり、とても便利です。

毎回作業が終了したら、移動用の箱を抱えて中身をそれぞれの収納場所へと持っていきましょう。もっともこれらの収納場所がまだ片付け終わっていないために余分なスペースがないのなら、移動用の箱に入れたままにしておいてください。理想的なことではないけれど、それ以外に方法がなければ仕方ありません。

この作業全体を、楽しむようにしてください。あなたの家の中にあるものは全て、そこにある理由がなくてはならない、と決めてください。「これは『ガラクタ』審査に合格するかしら？」と自問してみましょう。

■「ガラクタ」審査

1 これを見たり思い出したりしたら、元気が出る？

2 心からこれが好き？

3 本当に使っている？

この三つの質問にイエスと答えられないのなら、その品はあなたの家で何をしているのでしょう？

これを見たり思い出したりしたら、元気が出る？――あなたがその品からエネルギーを受けるか受けないかは、この審査のもっとも信頼できる部分です。あなたの脳は、それをとっておくための言い訳をあれこれ考えるかもしれません。でも体は真実をわかっていて、決して嘘《うそ》はつかないのです。体の声を、信頼してください。

心からこれが好き？――もし好きなら、それは単に「好き」なのか、それとも心が明るくなるほど大好きなのでしょうか。この手のものは、他にもたくさんありますか？　好きでも、悲しい思い出につながっていることはありませんか？

本当に使っている？――もしそうならば、最後に使ったのはいつでしょう？　現実的に言って、次はいつそれを使うでしょうか？

■ジレンマ箱

こうして「ガラクタ」クリアリングのコツを学びながらも、ジレンマ箱を使わなくてはならないかもしれません。どう考えてもいらないものなのに、まだ手放す気になれないものはジレンマ箱に入れて、戸棚の奥深い隅に押し込んでおきましょう。そしてカレンダーに、半年後など次にこの箱をチェックする日付を記しておきます。開ける前に、何が入っていたか思い出してみましょう。ほとんどの場合、あなたは忘れていて、それがもう必要ではないということが証明されます。あなたの人生は、それがなくてもまったく問題なく進んでいったのです。

友だちに開けてもらうという方法もあります（ガラクタ収集癖がなく、なぜ他人がガラクタを溜めるのか理解できない、という人を選んでください）。あなたが思い出して、きちんと使い道を考えられるものはどうぞ残してください。それ以外のものは、あなたが二度と目にする必要がないように友だちに持って帰ってもらい、処分してもらいましょう。この方法はあまりにも極端すぎると感じるのなら、箱を自分で開けて一つ一つ中身を吟味して考えましょう。でもそれまでの期間、あなたはそれがなくてもまったく不自由しなかったことを忘れてはいけません。

ある女性は、捨ててしまったら後悔するかもしれないと思ったものをゴミ袋三つにまとめ、三日間それを枕元において寝ました。本当に執着があるのなら、夜中に起きて袋を開けるだろうと思ったのです。でも彼女は毎晩ぐっすりと熟睡し、四日目の朝にはそれを捨てて、まったく後悔することはありませんでした。

■整理整頓の秘訣《ひけつ》

あなたの「ガラクタ」が、捨てるか捨てないかの分別をするというよりも、単に整頓されていないものならば、次にあげる方法がとても役に立ちます。

部屋のどこかの隅から始めてください。片付けなくてはならないものを、とにかく片っ端から拾い上げていくのです。それがTシャツだったとしましょう。自分のやっていることを声に出して、お経を読むように唱えてみてください。「Tシャツを拾って引き出しに向かって歩く。引き出しを開けて、それを中に入れた」というように。それからまた同じ隅に戻って、「新聞を拾って、入れ物に入れた。本を拾って、本棚に戻した」というように続けていきます。

できるだけ文節に同じようなリズムをつけてください。リズムをとることによって、これを楽しい作業にします。子供たちはこの方法をとても喜びます。それに声を出し続けることで頭の中をいっぱいにしておくと、普段のように迷ったりする余裕がなくなります。リズムにのって、どんどん進めていくのです。片隅から始めたら、部屋全体がきれいになるまで続けましょう。

■「ガラクタ」を家から出す

全てを選別し終わったのに、自分の家からそれを物理的に外に出すという最後の段階をはぶいてはいけません。これは「ガラクタ」クリアリングの、とても大切な部分です。

ゴミ

もう誰にとっても用済みだという「ガラクタ」は、もっとも処分が簡単です。業者に回収に来てもらうか、あるいは自分で粗大ゴミの回収場所まで車で持っていくなどしてください。家の中から出したら、とてもすっきりした気分になるはずです。

リサイクル

次に簡単なのは、リサイクルするもの。世界のほとんどの国では、ゴミを捨てるのと同じくらい簡単にリサイクルができるようになりました（そして環境を守るために責任ある行動です）。今では驚くほど多くのものがリサイクルされています。インターネットで「リサイクル」と打ち込んでリサーチをしてみると、あなたがお払い箱にしようとしていたものの行き先がおそらく見つかるでしょう。

プレゼントする

友人、親戚にあげる、あるいはチャリティ団体などに寄付するというのは、捨てるよりも少々時間がかかります。場合によっては相手に会う時まで、あるいはチャリティ団体や学校、図書館、病院などの近くに行く機会があるまで待たなくてはなりません。www.freecycle.orgなどのようなサイトに掲示すると、時間を短縮できることもあります。でもプレゼント用に選択したものには、自分で締め切り（今月や来月末など）を設けなくてはなりません。そしてその期限内に相手に渡せなかったら、リサイクルするか、ゴミ箱に捨てると決めましょう。

預かりもの

これも、場合によっては時間がかかります。持ち主に連絡をとって彼らにそれを持ち帰ってもらうように依頼、時には嘆願しなくてはなりません。妥当な締め切りを決めて、それを過ぎたらあなたが好きなように処分することをはっきりと知らせましょう。あるいは郵便で送ったり、あなたが自分で届けなければならないかもしれません。

売る

これは、あなたの「ガラクタ」にお金を払おうという人を見つけなくてはならないため、さらに時間がかかります。自分で「ガラクタ」市を開ける人や、まとめて引き取ってくれる相手のあてがある場合以外、クリアリングの初心者にはあまりお奨めできません。品数が少ないのなら、インターネットオークションに出してみるのも良いでしょう。

交換する

あなたの欲しいものを持っていて、あなたの不要なものと交換する意志がある相手を見つけるのは、さらに困難な選択です。自分で締め切りを決めて、交換する相手が見つけられなければ、売る、あげる、捨てるなどの処分をしてください。

修理、改造、改良など

これは今まであげた中でもっとも時間がかかり、実行される可能性も少ないでしょう。一年後、あるいは十年後にもまだそれは修理、改造、改良されていない可能性は大です。いつの日か使えるようにしようと決意したものを、延々とっておくのは、とてもくたびれるものだということに気がつきましょう。

■やるほど楽になっていく

他の色々なことと同じように、「ガラクタ」クリアリングもやるごとに進歩していくことができます。「ガラクタ」クリアリングの筋力を鍛える、という気持ちで向かってみてください。経験を積むごとに手際は良くなり、楽になっていきますが、最初に取りかかる時は自分にはとても無理と感じるかもしれません。

でも少しずつ成功していくごとに、達成感の喜びを実感できるようになっていくはずです。

私のクライアントの一人は、これまでずっと収集癖がありました。でも今では「ガラクタ」クリアリングに夢中になっています。職場から帰ってくると妻と子供にあいさつをしてから自分の寝室に直行し、引き出しを開けて、たとえば古いソックス一足というように何かを選んで処分して、喜びを感じているのだそうです。

私自身の経験から例をあげると、私はある時、早朝の散歩で普段より遠くまで歩くことにしようと決めました。でも決めた場所に到達する前に疲れてしまい、あと少しで諦めて家に戻ってしまうところでした。でも頭の中の声を無視して、目的地点まで歩き続けたのです。こんな些細《ささい》なことなのに、達成して家に帰るまで体の中で感じていた達成感は、現実に実行したことの何倍も大きかったのです。素晴らしい気分になり、その気持ちはその日ずっと続いていました。

「ガラクタ」クリアリングにも同じことが言えます。引き出し一つでも、それを整理すると決めて達成した時の充実感は、ほとんど頭がフラフラするほどです。体の中に滞っていたエネルギーが解放され、これまで片付けようとして失敗してきた経験が成功によって上書きされ、もう止められなくなるのです。

この達成感は、何かをやろうと決めて実行した時にいつでも経験できます。「ガラクタ」クリアリングだけに限りません。社会的に成功している人たちが、さらに意欲を保持するのは、この達成感のためなのです。

■自分に良いことをしてあげる

私が本書を書いた理由の全ては、「ガラクタ」クリアリングをとても魅力的な作業にして、あなたがものを処分することのためらいを取り除くことでした。「ガラクタ」を処分することは、自分に良いことをしてあげること、という意識を持ってください。しばらくしてその効力を実感できると、あなたはもっと続けたくなるでしょう。ある女性は、「ものへの執着を捨てて処分することが、ものを手に入れることに負けないくらいの喜びを与えてくれるなんて、考えてもみませんでした」と私に言ってくれました。

完璧を目指す必要などないことを、忘れないでください。ただあなたの空間を詰まらせている「ガラクタ」をきれいにして、人生を整理すれば良いのです。

■処分しても大丈夫

ものを整理しながら自分に、「処分しても大丈夫」と言い聞かせてください。「ガラクタ」をクリアリングするのは、必要な時には必要なものが手に入ると人生を信頼して、いらないものを手放すことです。「もしもの時のために」というのは、恐れのために保管しているのです。

「ガラクタ」が多量にある人は、それを処分するまでに何度か見直しを繰り返さなくてはならないかもしれません。それが何の役にも立っていないことを実感するまでに、一年あるいはそれ以上の時間を必要とする人もいます。

■「ガラクタ」クリアリングのための七つのコツ

この章の最後に、効果があることが実証された「ガラクタ」クリアリングのための七つのコツをご紹介しましょう。

1　あなたが「ガラクタ」クリアリングをするのにもっとも向いている時間帯を見つける

ほとんどの人は、「ガラクタ」クリアリングがよくはかどる時間帯というものを持っています。朝を好む人がいれば、夜を徹してやるのが好きという人もいます。あなたが整理整頓のためにもっとも決断を下しやすい時間帯を見つけてください。

2　「ガラクタ」クリアリングのスケジュールを作る

ほかの予定と同じように、いつクリアリングを始めるのかカレンダーに記入しましょう。自分で決めたら、必ず実行するのです。あなたがどのくらいのスピードで片付けていきたいかによって、丸一日、半日、あるいは一時間や三〇分の単位で何度も予定するのでも良いでしょう。

3 「タイムボックス（固定時間）」を設けて作業する

どんな仕事でも実行してみると、制限時間ギリギリまでかかるものです。「ガラクタ」整理を一度に最後までやろうと決意したら、いつまでたっても終わらないということになってしまうでしょう。やることを小刻みに分けて、そのつど費やすタイムボックスを決めましょう。やることを分けたら、それぞれにどのくらいの時間が必要か見極めて、タイマーを設置するのです。そして時間内に、決めた分量を片付けてしまいましょう。

この方法は、何にでも使えます。たとえば、コンピューターで何かの作業をしているのなら、よくできたタイマーソフトウェアがいくつもあります。退屈な警告音の代わりに、あなたのコンピューターに入っている音楽の中から好きなものが鳴るように設定できます。私が本書を手直ししている間も、このテクニックを使って一時間に時間を区切って作業をしました。

あなたが締め切りギリギリになってから何かをやる時に感じるアドレナリンが好きな人なら、タイムボックスは気に入ることでしょう。大きな締め切りが来なくても、一日何度も小刻みに制限時間が来ますので。もっとも慣れてくれば、いちいちタイマーを設定しなくても、時間内に仕事を片付けることができるようになります。人生そのものが十分楽しくて、特にアドレナリンを感じる必要がないという人は、そうしてください（こちらのほうが腎臓はあなたに感謝をして、長く健康でいてくれるでしょう）。

4　テンポの速い音楽をかける

スピーカーを使い（ヘッドフォンではなく）、あなたの体が踊りたくなるまで音量を上げてください。もっとも良いのは、自動的に曲がリピートするように設定することです。ほとんどの人は、適した音楽を聞きながら作業をすると「ガラクタ」クリアリングを倍から三倍、長く続けていられます。

テンポの速いものと遅いものが両方入っているアルバムは避けてください。ゆっくりしたバラードは、勢いをそいでしまいます。「ガラクタ」が大量にある人は、この作業専用の音楽コレクションを作るのも良い投資だと思います。もっともそのために、作業を延ばし延ばしにしてはいけません！

5　赤いものを身につける

赤い靴を履くと自然に動きたくなるように、赤いものを身につけると活発に行動したくなるのです。赤い服を持っていないのなら、青などの寒色系ではなく、暖色系のもの（オレンジ、黄色など）を着てください。

多くの人たちは、心のよりどころのために「ガラクタ」を溜め込みます。暖色系の服は、寒色系よりも精神的に安心感を与えるので、ものを処分しやすい気持ちになるのです。

6　黒や灰色の服は避ける

黒は低い波動を引きつけるので、「ガラクタ」整理の最中にすぐに疲れてしまいがちです。また灰色を着ると、どれを処分してよいのか迷いがちになるので避けましょう。

7　うまくできたら、自分にご褒美をあげる

ご褒美を求めるのは人間の本能ですから、「ガラクタ」を処分してから自分に何か報酬を与えると、体がそのことをおぼえていてもっとやりたくなるのです。一仕事片付けたら、マッサージに行く、映画を見る、友だちと遊びに出かけるなど、あなたにとって経済的に可能で意味があることをやってください。

第十七章

時間の無駄を管理する

本書を読んで「ガラクタ」を整理しようというやる気は起きたのに、実行に移す時間がないという人は大勢います。

私たちはどんどん時間が少なくなっていくような、忙しい社会に住んでいます。ベンジャミン・ホフが著書『タオのプーさん』の中で、わかりやすくこう語っています。

もしも時間を節約する機材が本当に時間を節約していたら、私たちは歴史上もっとも時間をゆったり使えるはずだ。でもなぜなのか、私たちは数年前よりもさらに時間が足りなくなっている。時間を節約する機材がない土地に行くのは、とても楽しい。そんな土地に行くと、時間がたっぷりあるからだ。それ以外の場所では、人は時間を節約して人生が楽になるための機材を買うお金を稼ぐために、忙しくしている。

物理学者に言わせると、時間が本当に存在するのかどうか、疑わしいそうです。彼らによると、時間の経過は単に私たちの受け止め方に過ぎず、時間という観念そのものが幻想であるかもしれないのです。でも私たちにとって時間はとてもリアルなもので、それをどう扱うかは「ガラクタ」クリアリングの大切なプロセスの一つです。

■優先順位

時間の無駄をはぶくための最初の、そしてとても重要なステップは優先順位を決めることです。人生の最優先事項をまず決めて、それに合わせて日々の計画を立てていってください。でもほとんどの人たちは、これを逆にしてしまいます。予定を先に入れてから、何とかその合間に人生をやりくりしていこうとするのです。こうしていると必ず一日の終わりに、大事なことに時間を使えなかったと気がつくはめになるのです。

優先順位を見極めるためには、何重にもわたる厳しい確認作業が必要だと感じるかもしれませんが、実際にはそんな難しいことはありません。これまで何年もカウンセリングをしてきた経験によると、優先事項は人によってそれほど変わるものではないのです。自分が人生のどの段階にいるかを意識しながら、今のあなたにとって一番大切なものは何かを見つけてください。優先事項をはっきりさせておけば、日々の雑務に流されることなく、全体像をきっちり把握しておけるはずです。

■優先事項を決める

　さて、では、あなたの人生の中でもっとも大切な五つのことは何、と聞かれたら、何と答えますか？

　大多数の人は、おそらくすぐに健康と答えるのではないでしょうか。これがなくては、何もできませんから。あなたが何か慢性病を患っている、あるいはあなた自身や身近な人が大病を経験したことがあるのなら、その大切さを意識しているはずです。あるいは最初に、人間関係と答えるかもしれません。家族、友人、あるいは何よりも大切な人との関係など。

　あるいはキャリアでしょうか。人によってはこれが最優先で、人間関係、健康などは二の次にしています。

　あなたが本書を読んでいるのなら、おそらく自宅や職場の環境を心地よいものにするということの優先順位は高いでしょう。

　そうでなければ、お金持ちになること、経済的に自立すること、旅行、冒険、勉強、あなたの好きな趣味を追求すること、あるいは私がここにリストしていないことかもしれません。大切なのは、あなたが熱くなれるもの、やる気が出るもの、情熱を感じるものを見つけることです。優先事項は、その中から出てきます。

ところで幸福はリストに入れませんでした。これはあまりにも人によって、その意味は様々だからです。ある心理学テスト（Emmons and McCullough,2003）で、人生でもっともありがたいと感じるものは何かという質問を行いました。その答えは、「健康体」「母」から「インスタントメッセージ」まで、実に様々だったそうです。

もしかすると私がこれまであげたリストはすべて、贅沢品《ぜいたくひん》だと感じる人もいるかもしれません。現在の環境は、日々十分な食べものと、暖かい衣服、安全な場所を見つけるので手一杯という人もいるでしょう。最低限の日常生活が保証されていなければ、その他のものは二の次になるのです。

もっともこれらのものですら、最優先事項ではないと言う人もいるでしょう。食べもの、寝場所、健康、愛する人、お金、その他のものがなくなっても、精神は残ります。ですから最優先なのは、あなたの精神を健全に保つことなのかもしれません。

■日々の優先事項

優先事項を決めることは、人生をきれいに整理整頓してくれます。

一九三〇年代にアメリカの鉄鋼会社ベスレヘム・スチールの社長をしていたチャールズ・シュワッブの逸話に、そのことが実にうまく語られています。シュワッブは時間管理のコンサルタント、アイビー・リーに二週間社内に潜伏してもらい、効率を上げるためにはどうすれば良いかとアドバイスを求めました。その報告書には、たった三つのことだけが書いてありました。

(1) 毎日、「やること」のリストを作ること
(2) それを大切な順番に並べる
(3) 優先順位に沿って、それを片付ける

「コンサルタント料は、今払わないでください」とアイビー・リーは言いました。このアドバイスは、シュワッブが受け取り慣れている百ページのレポートとはかけ離れたものであることをわかっていたからです。「私のアドバイスを一ヶ月社内できちんと実行させて、その値打ち分だけ支払ってください」

さてその一ヶ月後、シュワッブはリーに二万五千ドルの小切手を送ったそうです。当時としては、驚くほどの金額でした。彼の会社は、個人経営としては世界一大きな鉄鋼会社に成長しました。シュワッブは後に、あれはもっとも有益なビジネスアドバイスだったと語っています。

あなたが年収何百万ドルも稼いでいる重役でも、住宅街に住む専業主婦でも、このアドバイスは同じように役に立ちます。一ヶ月実行して、その効力を試してみてください！

■瓶はいっぱいか？

あなた自身の優先事項を見つけるために、私のお気に入りの逸話をご紹介しましょう。これは一九八〇年代後半にインド沿岸警備隊長官を務めたＨ・ジョンソン中将が講演中にした話です。彼は自分の話の内容をより具体的に表現するため、透明なガラス瓶を持参して、それに石を詰め込みました。そうしてから聴衆に、「この瓶はいっぱいですか？」と聞いたのです。

もうそれ以上一つも石は入らない状態だったので、聴衆は「もちろんです」と答えました。すると彼はさらに小さな小石を一掴《ひとつか》み瓶に入れ、石の間の隙間に詰め込みました。そして再び「この瓶はいっぱいですか？」と聞いたのです。

「ええ、今度こそ」と聴衆は答えました。

すると彼は袋に入った砂を出して、瓶の中の石と小石の中にぎっしりと詰めていきました。

「この瓶はいっぱいですか？」

彼はようやく瓶がいっぱいになったと聴衆と同意して、この瓶は人生の象徴であることを説明しました。

最初に砂（詳細）をたくさん入れてしまうと、小石（大きなこと）を入れる余裕がなくなります。同じように小石でいっぱいにすると、石（もっとも重要な優先事項）を入れる場所がなくなるのです。あなたが最優先事項を先に決めて、他のものはその余白に入れていかないと、人生はうまく展開していきません。

参考までに書きますが、彼は自分の優先事項リストのトップに健康と誠実さをあげたそうです。このたとえをさらに深く追求するなら、瓶の中に水を一杯加えることもできるでしょう。ぐっしょり濡《ぬ》れた中身は、日々の雑事で周りが見えなくなった状態に似ています！

■紙に書いてみる

さて、再び訊《き》いてみます。あなたの優先事項は何でしょう？　この答えを考えずにページを進めてはいけません。この本を読むのをいったんストップして、重要な順番にあなたの優先事項をリストしてみてください。

①
②
③
④
⑤

将来出す電子書籍版では、このリストを書き入れるまで残りのページを読めないようにしたいと願っています。でも残念なことに、現在のテクノロジーでは印刷物でそれをすることができません。ですから今のところは、本を読み進める前にリストを書くようにあなたの叡智《えいち》に訴えかけることしかできません。書く前にこの文章を読んでいるのなら、前に戻って書いてください！

■選択

あなたの時間の無駄をはぶくためには、自分の優先事項をはっきりさせるしか方法がありません。それをせずして、何に「イエス」と答え、何に「ノー」と答えるのか、どうやって決めることができるでしょう？　人生には常に選択がつきもので、優先事項をはっきりさせることで、何となく成り行きに流されてしまうことを避けられるのです。

ほとんどの人はひどく忙しく、何か余分に予定を入れようとしてもとても無理という状況にいます。ですから、時間を管理しようと試みるのはやめましょう。そんなものは、電子時代の到来とともに終わりました。

必要なこと、やりたいことを全てやる時間など、誰にもありません。あなたにできることは、選択すること。要するに優先事項を決めて、重要ではないものには「ノー」と答えることを学ぶことなのです。

あなたが楽しいと思うことが何かを決めて、まずそれを一番にカレンダーに書き込みましょう。義務感を優先して頭で決めてはいけません。楽しむことは、あなたの魂が欲していることです。

自分のための時間を持たずに働き続けたり、自分の心を豊かにする時間を持たずに他人の世話を焼いてばかりいては、そのうち人生に対する情熱を失ってしまうことになります。その最初の兆候は、脱力感と体の不調となって現れます。年、月、週、あるいは日々のスケジュールをあなたにとって大切な活動から優先的に入れていき、その他のものはその合間に入れていってください。

これはまた第九章で述べた、パレートの法則（結果の80％は行動の20％の結果）に当てはまります。もしこれが事実なら（実際、事実なのですが）、あなたがやらなくてはならないと思い込んでいることの五分の四は、実際必要がないことを示しているのです。

■重要な順番に

さてここで、私がすべてのスペース・クリアリング、「ガラクタ」クリアリングの講習で教えているコンセプトを紹介したいと思います。これは、略してTDZPと呼び、アメリカ風に「ティーディージーピー」と発音します。トップダウン、ゼロ・プロクラスティネーション（上から下へ、遅滞ゼロ）という意味です。

TD（上から下へ）の部分は、私がこれまで書いてきたことです。これにより、生活の全体像を把握できるようになります。時間をどこに投資するのがもっとも賢明なのか、目的意識を持って誠実に対応することができるのです。大きな視点で、リストの上から順番に向かい合っていくのです。このトップダウンの意識を持たないと、その場限りのもっとも早くて楽な道を選び、あなたにとって大切なことを見失ってしまいかねません。

ZP（遅滞ゼロ）は、あなたの人生の優先事項が単なる夢ではなく、実行可能なものであることの確認作業になります。ZPはあなたの生き方そのものにならなくてはなりません。自分がグズグズしていることに気がついたら、すぐにトップダウンのモードに切り替えて実行してください。

■グズグズする

成功している人たちは、グズグズすることがあるでしょうか？　もちろん、ありません！　成功者たちは、やるべきことを、やるべき時に実行するのです。彼らはものごとを遅滞させません。

■なぜ人はグズグズするのか

　このことについて、これまで多くの研究がなされてきました。ある学校の研究結果では、人は失敗を恐れるあまり、手をつけることを躊躇《ためら》うというのです。また他の研究によると、その行動に魅力を感じていない、あるいはすぐに報酬が出ないためにやる気にならない、という結果が出ました。あなたがどれに当てはまるのかを理解して、それが二度と起きないように意識できれば、あなたがグズグズする日は終わりに近づいています。

　中にはものごとを始めるのは得意なのに、すぐに気が散って最後までやらないという人たちもいます。この気が散る例で傑作なのは、プログラマーのカーリン・ビエリが考え出し、ブロガーのセス・ゴーディンによって広められた「ヤクの毛を刈る」でしょう。ヤクの毛を刈るという意味は、「そもそも最初にやろうとしていたことを実行するために、やらなくてはならないはめになったこと」です。

　彼はこんな例をあげています。車にワックスをかけたくなり、でもそのためには新しいホースを買いに行く必要がある。でもそのためには通行料のかかる橋を渡る必要があり、近所の人のパスを借りなくてはならない。でもそのためにはまず、息子が借りっぱなしにしていたクッションを返さなくてはならない。そして最後にはなぜか動物園でヤクの毛を刈るはめになるのです！

　これは私が新しい章をバリ島の自宅で執筆している最中に、実際に起きそうになったことです。

「私はこの章を書き上げてしまいたい。そのためにはセスの語録が必要だから、セスのブログ『そのヤクの毛を刈るな！』でリサーチをしなくては」

「でも今日はブロードバンドが機能していないので、ダイヤルアップで接続しなくては」

「あら、電話線が切れている。ネズミが電話線を齧《かじ》ったのかしら」

「電話線を調べるのに庭の壁を登らなくてはならないけれど、なんと竹のはしごが壊れているわ」

　いつの間にか私はコンピューターの前を離れて、竹のはしごを車に積み、午前中ずっとはしごの修理屋で過ごすはめになったでしょう。

「ヤクの毛を刈る」の例を知っていた私は幸いにも、そうならずにすみました。私は近所の人の電話を借りてブロードバンドと電話線の修理を依頼し、庭師にははしごの修理屋に行くように依頼して、この部分を飛ばして執筆を続けたのです。

■グズグズするのを克服する

　私の観察したところによると、人がグズグズする根底には意志の問題があります。意志の力が強い人はものごとをやり遂げ、弱い人はやり遂げられない、というシンプルなことなのです。

　では意志の力はどうやって養うのでしょう？

　これは一口には言えない、難しい問題です。意志の力は、小さなことで日に千回も意識的に鍛えなくてはなりません。小さなことから始めて、あなたの人生全体に影響があるような大きなことへと進めてください。これに挑戦する人にお奨《すす》めの良い本があります。ブライアン・トレイシー著の『カエルを食べてしまえ！』です。副題は「グズグズするのをやめて短い時間で効率よくものごとを達成する21の方法」です。トレイシーは「毎朝まずカエルを食べることから始めると、その日は一日それ以上に不快な出来事にはあわないという安心感をもって過ごすことができる、と長い間言われてきました」と説明しています。

　さらに、「また二匹のカエルを食べなくてはならないのなら、醜いほうから食べること」、そして「生きたまま食べなくてはならないのなら、座ってじっくり見る価値はない」と語っています。もちろんこの本は、カエルを食べることについて書かれた本ではありません。あなたがもっとも気が乗らない課題について、揶揄《やゆ》しているのです。でも生きたままカエルを食べるという生々しい表現が、何かとってもしっくりはまる気がします。

私が定義した「ガラクタ」の中で、グズグズすることは「未完成のもの、全て」のカテゴリーに属していて（第四章参照）、物質的なそれと同じように、あなたのエネルギーを浪費させます。あなたがようやく腰をあげてそれを実行すると、滞っていたエネルギーがたくさん放出されて自由になります。そしてあなたは、決心して腕まくりし、実行するよりも、グズグズしていることのほうがよほどくたびれるということに、気がつくのです。

たとえば、返事をすることを考えてみましょう。返事をしなくてはならないのに、放置したままにしている手紙やEメールはありませんか？　あなたが実行しないままそのことを考えると、そのたびにエネルギーレベルが下がります。放置していた時間が長ければ長いほど、返事をするのは億劫《おっくう》になっていきます。落ち着いてメールの返事を書けば、他のことに使えるエネルギーを大量に解放することになるのです。その他の、人生で放置していたもの全てに同じことが言えます。

■中断されることへの対応

人はいつの時代にもグズグズしてきたものの、ペースの速い現代社会ならではの特徴は、私たちに常に邪魔が入って中断されがちなことです。電話、テキストメッセージ、Eメール、同僚たちなど、時間内にやらなくてはならないことがあるのに、ほとんどの仕事場では人々は一度にいくつものことをこなさなくてはなりません。

カリフォルニアのアービン大学の情報学教授グローリア・マークによると、IT業界で働く人たちは、一つの課題をこなすのに三分間邪魔が入らなければラッキーなのだそうです。また彼女によると、いったん中断された社員がもともとやっていた仕事に戻るまで、平均二十五分の時間が経過し、合間に二つの雑務がこなされているそうです。そして25％の社員はその日のうちに、ついにもとの作業に戻ることができないという統計もあります。

こういった中断は私たちのエネルギーをイライラさせ、疲労感と倦怠感《けんたいかん》をもたらします。どのくらい影響するかは人によって違うものの、こうして何度も中断されることは私たちの精気、健康、幸福感などに影響を与えるのです。

ある実験（Lefcourt, 1976）では、二つのグループがひどい雑音のある環境の中で複雑なパズルと、校閲用の原稿を与えられました。一つのグループには雑音を中断させるボタンが与えられ、もう一つのグループには与えられなかったのです。自分たちで雑音をコントロールできるほうのグループが、パズルは五倍もはかどり、校閲もずっと成績が良かったのは少しも不思議ではありませんでした。

でも不思議だったのは、実際にはこのグループは一度もボタンを押さなかったという事実です！　ハワード・ブルームは彼の著書『The Lucifer Principle』で、「雑音があったかなかったかが彼らの作業に影響したのではなく、もし望むなら、雑音を絶つことができるという意識が大切だったのだ」と書いています。

夫のリチャードと私は、一緒に自宅で仕事をすることを楽しんでいますが、大概二人とも別々なプロジェクトに取り組んでいます。お互い相手に中断されることがどれほど効率悪いか気がついた私たちは、ルールを決めました。

質問をしたり、何かコメントしたくなったりするたびに、私たちは最初に「今、いい？」と聞くことにしたのです。これがどれほどの違いをもたらしたかは、驚くべきことでした。中断される側の人間に選択権を与えることで、イライラ感は激減したのです。私たちは「いいわ」「今はダメ」「もう少し後で」などと答えるだけでいいのでした。そしてもし何か緊急のことがあれば、その前に簡単に謝罪の言葉を入れて「ごめんなさい。でも今すぐに答えが必要なの……」というように工夫しました。うんざりする代わりに、相手からの中断を大らかに受け入れることができるようになったのです。

ボストンのＭＩＴメディア研究室でのリサーチでも、コンピューターから丁寧な表現で中断された場合、人はそれほど不快感を持たないという統計が出たそうです。

忙しい職場環境でこれを実行するのは難しいかもしれませんが、不可能ではありません。あなたが何か重要な仕事をやっていて中断されたくない場合、そのことを同僚がわかるようなシステムを決めましょう（たとえば個室のドアを閉める、ドアの前に椅子を置く、あるいは張り紙をする、というように）。あなたが対応できる時はそのことが相手にすぐにわかるようにし、Ｅメールや電話などでも同じようにしてください（自動返信、ボイスメールなどで通知する）。本当に緊急の場合には、あなたを捕まえられる方法を相手に知らせておくようにすれば、ほとんどの人はあなたのルールを尊重してくれるでしょう。

相手から好きな時に中断される代わりに、あなたがそれを管理することによって仕事の効率、満足度も上がり、免疫力が影響を受けることもなくなります。ある研究所の実験でも、自分で環境を管理できる装置を与えられた動物たちは抗体も多く、潰瘍《かいよう》も少なく、長生きをするそうです。選ぶのは、あなたです。

第十八章 「ガラクタ」を溜めない生活

ある男性が、私にこんなEメールを送ってくれました。

「いつも不要なものを片付けています。以前にもまして『ガラクタ』が目につくようになった自分がおかしいです。何かを捜して引き出しを開けると、いらないものが目につきます。そこで、やりかけのことを中断して片付け始めるのです。きれいになるごとに、気分は良くなっていきます」

それから数週間して、彼のメールがまた届きました。

「スキー旅行から、バッグ四個分の荷物を抱えて帰ってきました。このゴチャゴチャを見ているのが嫌だったので、今朝仕事に出かける前に全て中身を開けて片付けました」

この男性は、「ガラクタ」クリアリングを、自分の人生の一部として取り入れることに成功したのです。いらないものを溜《た》め込まない生活をするコツは、日々の生活習慣を変えることです。

■全てのものが、収まるべきところに

国内の四つの都市をいつも移動している、裕福なアラビア人一家の話を読んだことがあります。おとうさんが仕事のために出張して、家族がそれに同行しているのです。いつも移動しているのに疲れた彼は、財力を駆使して四つの都市にまったく同じ造りの大邸宅を建てて、そっくり同じ家具を置きました。それだけではなく、家族の誰かが服を買う時には必ず同じ物を四着購入して、それぞれの家の同じタンスの同じ位置にかけたのでした。ですから彼らがどこの町にいようと、タンスを開けると中身はまったく同じなのでした。

私自身もいくつかの場所を移動しながら暮らしているので、この話にとても興味を引かれました。整頓された家は、整頓された思考を表しているのです。あなたの状況がどのようなものであれ、日々の生活が滞りなくいくように、身の回りを整頓しておくのは大切なことです。

■整理整頓をする

世界でもっとも面白いものは、近視の人が自分のメガネを捜しているところかもしれません。あなたがテーブルの上の「ガラクタ」を整理すれば、メガネはもっと簡単

に見つかるようになりますが、しまう場所を決めていつもそこに戻しておくことがもっとも楽な解決方法でしょう。鍵、財布、スリッパなどいつも捜しているものについては、どれも同じことです。

あなたの暮らしをシンプルにするコツをいくつかお教えしましょう。

＊同じような種類のものは、同じ場所に分類する

＊使う場所の近くに保管する（たとえば、花瓶は花を生ける場所の近くにしまうなど）

＊しょっちゅう使うものは、取りやすい場所にしまう

＊ものが行方不明に、あるいは「ガラクタ」にならないよう、本来しまうべき場所に簡単に戻せるようにしておく

＊箱には何が入っているか、書いておく

＊タンスの服は、色別にして分けておく（そのほうが見た目も魅力的です）

■ファイリング・キャビネットを利用する

私たちは情報時代に生きています。あなたがすべてを電子ファイルに置き換えたのではない限り、家でも職場でも記録の書類などを保管する場所が必要でしょう。それにはファイリング・キャビネットを買うのが一番です。最近のキャビネットはデザインも良くなってきています。きちんとファイルに分類して保管した書類は、その辺に重ねておくよりもずっと楽に整理できます。カテゴリー別に分けて、あなたが楽しくなるような名前をつけましょう。たとえば、「個人口座預金記録」にファイルするのと、「好きな所に旅行に行く予算預金記録」にファイルするのと、どちらが楽しくなるでしょう？

どのカテゴリーに入れたらいいのかわからないけれど、保管しておきたい書類があったら、未処理のカゴの中に入れっぱなしにしておいてはいけません。それに相応《ふさわ》しい新たなファイルを作って、そこに保管してください。アヤシイほど太ってきたファイルは、細かく分類をし直すか、あるいは中身を点検して古くなったものを処分する必要があります。少なくても年に一度、ファイルを点検して不要になった書類を捨てましょう。

■保管する場所

ものを保管することのそもそもの目的は、使用していないものを一時的にしまっておくことです。この良い例が、一年に一度しか使わないクリスマスの装飾でしょう。冬物の服は夏場にはしまっておくし、冬はその逆です。中には二年に一度くらいしか使わないキャンプ用品のようなものもあります。私が言いたいのは、絶対に使わないものを放置して積み上げておいてはいけない、ということです。それがエネルギーを滞らせる原因になるのです。

中には納税の記録とその関連資料など、法的に一時的に保管しておかなくてはならないものもあります。あなたの住んでいる国の保存義務期間を確かめてください。それが七年間だとすれば、税金関連の書類を年別にファイルして、八年前のファイルはシュレッダーにかけてください。この作業は、とても気持ちがすっきりすると皆言います。

■溜まる前に「ガラクタ」を阻止する

習慣を改めることにより、「ガラクタ」クリアリングをかなり楽なものにすることができます。

＊買う前によく考える。どこにしまうのか、何に使うのか、買う前によく考えてみること。はっきりした答えが出なければ、あなたは「ガラクタ」を増やそうとしているのです。買うのをぐっとこらえましょう。

＊ゴミ箱は毎日、一日の終わりか、朝一番に空にしましょう。そして何かを捨てたくなったらすぐ投げ込めるよう、十分な大きさのゴミ箱を手近な場所に置いておきま

しょう。

＊「とりあえず」の場所にものを置くのをやめること。いずれそこに戻ってきて、きちんとしまわなくてはならないのです。それなら直接、きちんとした保管場所にしまう習慣をつけてください。

＊ついものを溜め込む人は、「何かを買ったら何かを処分する」というルールを自分で作ってください。このやり方で「ガラクタ」は減りませんが、少なくてもその内容は常に変化していきます。

■プロに助けを求める

本書には、人々が自分で自分を助けられる方法を書きましたが、中にはあまりにも「ガラクタ」の量が多くて、それを処分して良い状態を保つためにプロの助けが必要な人もいるかもしれません。国によっては、プロのお掃除専門家がいて、あなたの持ち物を整理するのを手伝ってくれます。

私が訓練したスペース・クリアリング専門家は、「ガラクタ」クリアリングの専門家でもあります。彼らは「ガラクタ」に手をかざして、そもそもなぜあなたが「ガラクタ」を溜めることになったのか、その原因を見つけてくれます。それがわからないと、あなたがいくらきれいにしても、おそらく再び「ガラクタ」が溜まってきてしまうことになるのです。

彼らはそれから、スペース・クリアリングの儀式を行って、「ガラクタ」の間に滞っていたエネルギーを解放してくれます。これを先にやっておくと、何に「ガラクタ」クリアリングが必要なのか明確にわかるようになり、まるで「ガラクタ」が勝手にドアから歩いて出ていってくれるかのような気分になります。彼らは、あなたが「ガラクタ」を処分していく手順の計画を立てる手伝いもしてくれます。

私のウェブサイト、www.spaceclearing.comに行くと、世界各国にいる私の訓練を受けた専門家たちの連絡先がわかります。

第十九章
視点を変える

「ガラクタ」クリアリングをする上でのもっとも大きな障害は、ものに執着があるために処分ができないということです。でもそれはこの章で紹介するように、単なる視点の問題なのです。

■視点を変えることの重要性

つい最近、あるジャーナリストの取材を受けた際、この本の影響により世界中で放映されたテレビ番組の話になりました。典型的なスタイルは、「ガラクタ」をたっぷり溜《た》め込んだ人の家に乗り込み、庭の芝生の上に全てを出して、それを処分していきながら持ち主が動揺する様子を撮影する、というものでした。

でもこのような番組で、その人がその後どうなったのかフォローすることはありません。彼らがこれによって精神的なトラウマを受けたり、時間をかけないで強引に持ち物をいっきに処分されたりしたことによる怒りを静めるために、再び「ガラクタ」を溜め込み始めることなど、テレビで放映されることはないのです。

溜め込み癖のある人を癒すのに、このような方法がベストだとは思えませんし、本書の初版を一九九八年に出版した時、このようなテレビ番組が作られたら良いなどと思ったことは一度もありませんでした。

溜め込み癖のある人の「ガラクタ」への執着心を取り除くには、視点を変えてもらうのです。彼らはものが必要だと思うから、溜め込んでいるのです。視点を変えることを学べたら、彼らの思い込みも変えることができるのです。

■新たな視点を得る

私たちが溜め込むものは、私たち自身を反映しています。

手っ取り早く新たな視点を得る一つの方法は、そこに住んでいるのが知らない他人であるかのようなつもりで、あなたの家にあるもの全てをじっくり眺めてみることです。さらに良いのは、各部屋の写真を撮ってそれを客観的に見てみることでしょう。

その家に住んでいる人について、どのような結論に至りましたか？　知り合いになりたいと思うような人でしょうか？　好きになりたいと感じる人ですか？

これによって、あなたが何を残して何を処分するか、もっとはっきり見えてくるのです。

■新しい目で見てみる

好きな部屋から始めて、新たな目で見てみましょう。あなたの今現在の人生、あるいはこうなってほしいと思う人生に相応《ふさわ》しくないものは、どれでしょう？

もしかすると、もう好きではない、使わない家具があるかもしれません。あるいは買った当時はあなたの人生にぴったりだったのに、今のあなたには相応しくない装飾品かもしれません。洋服はどうでしょう？　もう好きではない、着ない服を処分してください。本棚も見てみましょう。もう興味をひかない本を取り除きましょう。あなたの所持品全てに目を通し、今のあなたに相応しくないものを処分していってください。

■旅行から戻ってきた時

旅行から戻ってきた数日間は、この視点を保つのにうってつけです。特に旅行が二週間以上で、普段のあなたが生活している国とは違った文化圏に行ったのならさらに効果的。家を新たな気持ちで見ることができるはずです。毎日そこで暮らしていると気がつかないけれど、すでに「ガラクタ」になってしまったものがよくわかるのです。

このような旅行の後は、できることならすぐに仕事に戻るのではなく、二十四時間ほど家にいる時間を作るようにしてください。あなたが人生を見直して、好きなように変える時間を持つのです。「ガラクタ」クリアリングが、自分へのご褒美になるのはこの時です。

また旅行から戻ってきた時は、旅先で撮影した写真を見直すにも良いタイミングです。全体に目を通して、好きなものだけ残し、残りは「ガラクタ」になる前に削除してください。

一緒に旅行した相手と同じ家に住んでいるのなら、彼らも客観的な目で家を見ることができるようになっているので、この作業に参加してもらうのも手です。でも、もし彼らが留守番をしていたのなら、あなたと同じような視点で家を見てはいません。その場合は、作業はゆっくりと進めて、あなた自身のものだけに集中し、彼らのものに関して口を出すのはやめてください。

あなたの意志で「ガラクタ」クリアリングを実行するのは、あなたの身近な人たちにとって心地よい刺激になります。でもそのためには、余計なことは口にせずに淡々と実行しなければなりません。

ここで重要なのは、旅行から戻ってきたばかりの新鮮な視点が消え去って、あなたが普段の生活のいつものパターンに戻ってしまう前に実行することです。

■引っ越し

もう一つ、新しい視点を得るのに良い機会は引っ越しです。新しい場所に持っていくために荷造りをするのは重労働。あなたの新たな人生に相応しいもの、持っていく価値のないものを容易に見分けることができるようになるでしょう。一つ一つのものを、新たな視点で見ることになるのです。

もっとも中には何も捨てずに、所持品の内容をろくに点検することもなく、何度も引っ越しを重ねる人がいるのも事実です。

英国からカナダに引っ越す時に、夫がガラクタ類を大きなコンテナに積み込んで送り、結局二十年後に英国に戻る時までそれが開けられることも使われることもないまま庭に置きっぱなしだったという女性を知っています。彼がそのコンテナをそのまま英国に送り返すと宣言した時、彼女はもうこの結婚生活は続けていけない、と決意したのだそうです。彼女の視点から言うと、二十年間カナダで放置したままだったコンテナの中身は、いらないものでした。でも彼の視点から言うと、どれほど費用がかかろうともそれは彼にとって必要な財産だったのです。

「あなたに近々引っ越す予定がないとしても、そうだと想像することであなたと「ガラクタ」の関係は大きく変わります。あなたが引っ越し業者にお金を払って運んでもらう価値がないと感じるものは、処分してください。

■家が火事になったなら

あなたの家が火事になって五分しか時間がないとしたら、何を持ち出しますか？「ガラクタ」クリアリングのコンサルティングを行って何時間もクライアントがものを捨てられない言い訳をするのを聞かされた後、私はこの質問を投げかけることがたまにあります。ものがいっぱいでろくに身動きもできないような家に住んでいる人たちが、家が火事になったら何を持っていくかと聞かれたら、何と答えると思いますか？ ほとんどの人が、「猫」と答えるのです！

配偶者や子供がいる人は、時には（必ず、ではありません）彼らを真っ先に救出すると答えます（そうでない人は、人間は自分で逃げられると思っているのかもしれません）。旅行慣れしている人は、パスポートを持っていく、と答えることもよくあります。一つか二つ、宝物のように大切にしているものがある人は、それを真っ先に思い浮かべるようです。写真を持っていく、という人もいます。

でもその他に救出する価値があるものは何なのか、ほとんどの人はしばらく考えないと答えを出すことができません。私はこれを「真実の瞬間」と呼んでいます。彼らが、実は所持品のことなどそれほど大切に思っていないのだと気がつく瞬間です。何もそれほど重要ではないのです。大切なのは、火事から生きて脱出することでした。人と所持品の関係は、延々と続く昼のメロドラマのようです。人が主人公で、ものはその他の登場人物。場面が「普通」から「緊急事態」に変わると、人はまるで眠りから覚めたように、新たな視点でものを見るようになるのです。

執着心を捨てる

年をとった人が死に向かう時も同じようなことが起こります。何もあの世には持っていくことができないのだと気がつくにつれ、ものに対する執着心が少しずつ薄れていくのです。たとえこの世でもっとも裕福な人、もっとも権力のある人でも、違いはありません。死は誰にでも平等に訪れるのです。

旅立つ時が近くなると、人はものを人にあげるようになります。意識的にはそのことを知らない場合も、人は同じ行動に出ます。死が近くなると本人のエネルギーにすき間ができるので、顕在意識では認識していなくても、はっきりと感じ取ることができるのです。

これに関してもっとも印象に残っているのは、数年前に友人から聞いた話です。彼女の祖父は、自宅で押し込み強盗に襲われてその傷がもとで亡くなり、友人は深く悲しんでいました。でも彼女はその事件が起きる前の週に、祖父が突然大切にしていたものを友人や親戚にあげ始めたことを思い出して、少し心が慰められました。「まるで祖父は、自分の身に何が起きるのか知っていたかのようでした」と彼女は言います。

物質的なものへの執着を絶つのは、死に向かう時の大切なプロセスの一つです。世界は私たちが生まれる前もあり、死んだ後も続くのだということを、改めて実感する時です。物質はある程度まで残ります。移動していくのは、私たち。私たちは、単に通り過ぎていくのです。

■「ガラクタ」クリアリングのコツをおぼえる

本書の主な目的の一つは、「ガラクタ」について新たな視点を得ることでした。この本を読むまであなたは、所持品は財産だと感じていたことでしょう。でもページをめくるにしたがって、ものに執着するのは自分の成長を妨げることになると気がついたのではないでしょうか。

「ガラクタ」は人々にスケールの小さな生活を強いることになります。ダイナミックなアイディア、インスピレーション、あるいはこの世を変えるような思考が入ってくる余裕がありません。自分たちの小さな世界に閉じこもってしまうのです。

では本書を読んでも手放す気になれないものがある人は、どうすればいいのでしょう？　私はいつも、その技術をすでに習得した人から学ぶのが一番だと信じているので、このようにアドバイスします。

あなたが尊敬する人で、ものに執着しない人を見つけてください。彼らが自分の所持品についてどう感じているのか、話をしてみましょう。どのようにして、何を残して何を処分するか決めているのか、聞いてみてください。普段の彼らと、できるだけ一緒に時間を過ごしてみてください。

彼らの視点を学び、彼らの考え方を体感してみましょう。彼らのストラテジーを取り入れて、コツを学ぶのです。

あなた自身の視野にとらわれることから、自分を解放してみましょう。

それによって、自分だけの経験に頼るより何年も早く学ぶことができます。

第二十章 体をきれいにする

家をきれいにすると、自然に体もきれいにしたくなります。家に「ガラクタ」を溜《た》め込む人は、体の中にも溜め込みがちなのです。物質的な「ガラクタ」はあなたの人生の成長を妨げますが、体の中の不純物はもっと深刻な、時には命に関わるような結果をもたらします。

人間の体は、とても洗練された機械のようなものです。ものを取り込み、必要なものを吸収し、五つの主な器官、腸、腎臓、肌、肺、そしてリンパ腺を通じてそれを排出します。

これにさらにいくつかの補佐的な器官、目、耳、臍《へそ》、爪、髪、そして女性の場合は膣《ちつ》がそれに加わります。これらの器官は全て、体の中から害のある物質を排出しているのです。

■腸のクレンジング

私の最初の著書、『ガラクタ捨てれば未来がひらける』の「ガラクタをやっつける」の章で、腸をきれいにすることを簡単に述べたところ、その後、私の読者からの問い合わせが殺到しました。当初私が思っていたよりもずっと興味を持ってくれる人が多いということがわかったので、このことについて今回はもう少し詳しく書こうと思います。

■腸をきれいにしなければならない理由

西洋人のほとんどは、腸を定期的にきれいにしなければならないことすら知りません。体調や健康は自然の成り行きに任せて、実は健康であることがどんな感覚なのかすら、よくわからなくなってきているのです。何年も人工的に加工された調理品、冷凍食品、缶詰、放射線処理された保存食を口にしている間に、そうなってしまったのです。

ある調査によると、近頃の遺体は防腐処理をする必要がほとんどなくなってきているそうです。私たちは普段あまりにも多くの防腐剤を体に取り込んでいるため、遺体が腐敗するまでにかなりの時間がかかるようになったというのです。

人体の腹の中にはおよそ6・5メートルの小腸と、1・5メートルほどの大腸が詰まっています。大腸の直径はおよそ5・5センチ、いえ、本来ならそうなのです。

213ページのイラストは健康な腸と、世界でももっとも不健康と言われる西洋式の食事を続けていたために不健康になってしまった腸を描いています。

本書を読んでいる人の腸のほとんどは、変形して蓄積物が溜まり、宿便が溜まっているはずです。西洋式の食事をしている人は、ほとんどがそうなっているのです。あなたのウエストに贅肉《ぜいにく》がついて、下腹が出ている場合はまず間違いありません。

腸の中の粘液上の蓄積物は、粘液の原因になる食べものをとることから付着したり、あるいは毒物から身を守るために腸自ら出したりすることによって、付着します。この粘液物は、膵臓《すいぞう》からの分泌液できれいになりますが、現在の西洋式の食事には粘液の蓄積を促す食べものがあまりにも多く、膵臓機能が追いついていきません。

腸全体に何層にも溜まった付着物は、詰まって固まってきます。現代の育児法では、これが乳児の頃から始まっているのです。NASA（米航空宇宙局）の科学者たちによりますと、大人の腸にも母親の母乳からなる付着物が発見されたとのこと。私たちのほとんどは、赤ん坊の頃から積もりに積もった宿便を腸の中に抱えているのです。

健康的な腸は、胎内に有益なバクテリアを含んでいて、2・2キロほどの重さがあります。でもこれまで検死解剖された遺体から、18キロ以上の宿便が詰まった腸が発見されたこともあります。通常直径5・5センチほどの腸が、肥満した人の場合は直径22センチから44センチまでに広がり、その中でものが通過できる隙間は鉛筆一本ほどの太さしかないということもあるのです。このような腸には半永久的に毒が溜まっていて、これが血液を通して体中をめぐり、様々な病気を引き起こすのです。

健康な腸と不健康な腸

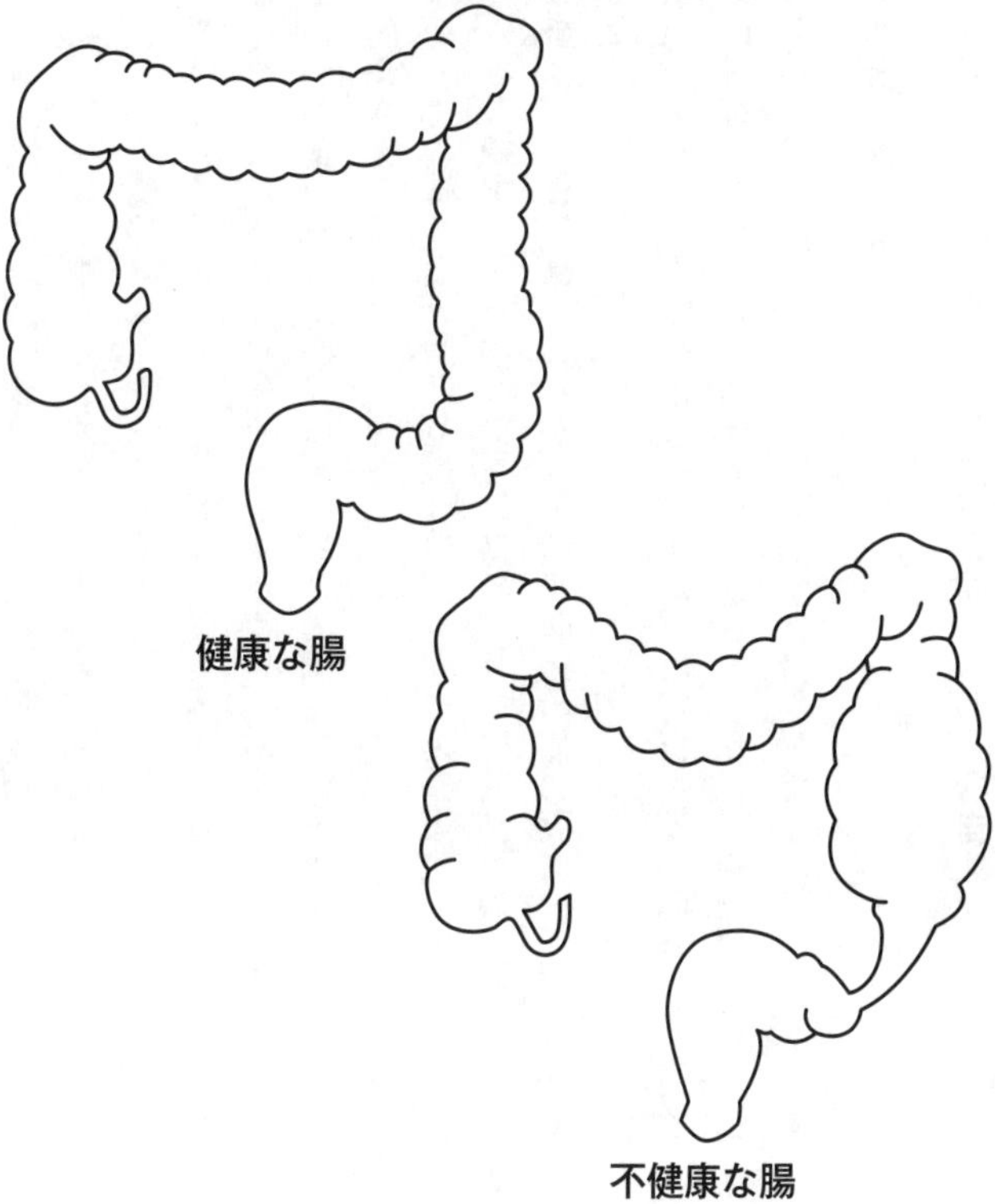

あなたが肉、鶏、魚、乳製品、砂糖、加工された食品類、チョコレート、カフェイン、ジュース類、アルコールなどを飲食する人なら、あなたの腸にもこのような宿便が溜まっていますので腸のクレンジングが必要になるでしょう。菜食主義者ですら、時々行わなくてはなりません。大豆と穀類が宿便のもとになるからです（大豆は全ての植物の中でもっとも粘液状沈殿物になりやすいのです）。古くから続いてきた文化には、肉食中心、菜食中心にかかわらず、どこの国にも時々腸をきれいにするために漢方を用いる習慣がありました。

あなたの家が人生の様々な分野と直接つながりがあるように、腸はあなたの体全体とつながっているのです。漢方学者たちは腸のクレンジングで病気の90％は快癒すると主張していますが、私自身、これが病気の予防と治療の両方に大変役立つことを実感してきました。

体内の下水システムである腸をきれいにするだけではなく、同時にこのプロセス途中でこれまで何年も溜まっていた精神的な問題が表面化し、流れ出ていくのです。本当にヒーリング効果があるのは、この精神的な部分なのです。

■食生活と排出（排便）

食べることと排出（排便）することは、人間のもっとも自然な活動ですが、西洋人のほとんどは自分の体を管理することをすっかり放棄してしまいました。特に彼らは、自分たちの排泄物《はいせつぶつ》に関してとても否定的です。

バリ島の赤ちゃんは、西洋社会の赤ちゃんよりもずっと早くトイレ・トレーニングを習得します。これはおそらく、おしめをあてずに生活をするために、どのように対処すれば良いのか早いうちに身につけるためではないかと思います。

上品な社会では「話すものではない」このことを何年も研究してきた結果、私はこの世でもっともくだらない発明の一つは西洋式の便器ではないかと思っています。東洋の多くの国で使われている、おしゃがみ式の便器を使用すると腸が自然に開いて、西洋式のただ座っている便器よりも排泄がスムーズになされるのです。西洋社会のほうが東洋よりも腸の病気が多いのは、これが原因ではないかと思います（あなたが西洋式のトイレを使っているのなら、座ったときに両手を頭上に持ち上げることにより、しゃがんだ時と同じような効果を得ることができます）。

ちょっとこの話題にはついていけないと感じる人もいるかもしれません。このような話題を避けたい人たちがいることも、理解できます。でも私は、腸のクレンジングは病気予防にとても重要なことだと考えます。あなたの腸がきれいなら、体調も良く、人生も滞りなく進みます。腸が詰まっていると、あなたの全てに影響を与えるでしょう。それでも納得できない人には、腸の健康について長年研究してきたリチャード・

アンダーソン博士の著書の一節をご紹介しましょう。

「ロックフェラー研究所研究員でノーベル賞を受賞したアレクシス・カレル博士は、組織細胞に栄養を与え、排泄物を取り除くことによって長期的に培養させておくことに成功した。

細胞は、排泄物が取り除かれている限り、活発に成長した。不衛生な状態になると、活動が低下し、腐敗して、やがて死んだ。彼は鶏の心臓を体外に取り出し、助手が排泄物を取り除き忘れるまで二十九年間培養することに成功した。」

■便秘と下痢

基本的なルールは、「食べたら、前回のものを出す」です。文明から隔離された世界各地のジャングルで研究をした人々によると、ストレスのない状態で健康的なものを食べていると、平均食後十五分から三十分で便意をもよおすそうです。ですからあなたが食後三十分以内に便意をもよおさなかったら、あなたは便秘気味ということ。また長期的な下痢も、同じくらい問題です。おそらくあなたの腸は、悪いバクテリア(寄生虫もいるかもしれません。彼らは非衛生的な環境と腐敗物が大好きです)でいっぱいになり、過敏になっているのです。

また次のような症状も、腸に問題があることを示しています。お腹《なか》がゴロゴロ鳴る、腹が痛む、悪臭のする放屁《ほうひ》、栄養のあるものを食べても力が出ない（栄養吸収が悪い）、口臭、体臭、足の悪臭。そして常に疲労感がつきまとうなど。

それでもよくわからない場合は、ひまわりの種のテストを試してみてください。手のひらに軽く一盛りの、皮をむいたひまわりの種を口に入れ、あまり噛《か》まないようにして飲み込みます。そうして出てくるのを待ちましょう。

腸から出てきたのがおよそ十時間後なら、あなたは健康体です。それよりも長かった場合は、宿便を取り除くための腸のクレンジングなどを行ったほうが良いでしょう。中にはひまわりの種が出てくるまでに、三日も四日もかかる人もいます。手紙をくれたある女性は、十二時間後にひまわりの種が出てきて夫とともに安心したものの、その後三日間出続けたと教えてくれました。ですからあなたも、気をつけて見ていてください。

■理想的な排便とは

さて次にあげたのは、他の本ではなかなか見つからない情報です。あなたが腸のクレンジングを行った後で見られる、理想的な排便とは次のようなものです。

＊音もなく数秒間で出る

＊力まずに出る
＊明るめの茶色（色の濃いビーツなどを食べた場合は別ですが）
＊あまり悪臭がしない
＊柔らかく密度が高くない

トイレに読み物が置いてあるのは、便秘の証拠です。あなたがそこにいる間に、ものを読む時間があるのなら、あなたの腸は不健康だということです。

■きれいな腸の利点

これまで汚れた腸の弊害について語ってきましたので、今度は腸がきれいになった時の利点についてお話ししましょう。ほとんどの人たちは一度やるとその結果に満足して、これを年に一度、定期的に行うようになるのです。腸がきれいになると――

＊体も気持ちも、健康になる（肌のトーンがきれいになり、しわが減り、爪が丈夫に、髪に艶《つや》が出てくるなど）
＊体が軽くなり、エネルギーが湧いてくる
＊免疫力が強まる

＊食べものからの栄養吸収率が良くなり、不健康な食べものに対する欲求が減る
＊生きていることが楽しくなり、愛、喜び、幸福感に満ちあふれる
＊ものごとに対して、柔軟性が生まれる
＊古いものに別れを告げ、新しいものを素直に歓迎できるようになる
＊セックスをより一層楽しめる（疲労した腸からの圧迫感がなくなるため）

ルイス・ヘイは彼女の著書『Heal Your Body』の中で、便秘は「不要になった古いものを捨てる恐れ」が関係していると主張し、「古いものを手放し、新しいものを喜んで受け入れる」気持ちを持つことを薦めています。これを実行するにはまず、便意を感じたら我慢しようとはせずに、できるだけ早くトイレに行くことです。そうすることにより、まず肉体的に楽に早く排泄することを習慣づけます。何かに執着をしてどうにもならなくなるまで溜めておくことは、精神的に人生全般において悪影響を与えるのです。

■漢方による腸のクレンジング

食生活改善（不健康なものを体から排除しても、片側からどんどん入れていったのではまったく意味がありません）と同時に行う、漢方による腸のクレンジングは驚くほどの効果をもたらします。砂糖、粘液状になりやすい食品など、不健康なものを食べていたあなたの一年のうち、一ヶ月をこれに費やしてください。

絶対に、下剤を使ってはいけません。薬は腸を過敏にし、動きを弱めてしまいます。断食は体内をきれいにするためには役立ちますが、このような根本的なクレンジングと腸機能を整える漢方の代わりにはなりません。

専門の漢方医学者に相談するのが、ベストなやり方です。この作業は時には専門家の助けが必要な精神面での問題を掘り起こすこともありますし、あなたの体が古いゴムのタイヤのようなものを排泄し始めたら、相談する相手がいたほうが良いでしょう。ある男性は、「出てくるものを見たら、恐怖心が湧きました。でも体外に出してしまったことで、すごく満足感を感じました」と言っていました。

これに関して、何冊かお奨めの本があります。ロバート・グレイ著『The Colon Health Handbook』、バーナード・ジャンセン著『Dr. Jensen's Guide to Better Bowel Care』そして、ウィリアム・ダフティ著『Sugar Blues』です。私のウェブサイトには、私がもっとも効果的と感じたクリストファー博士の漢方調合を販売している業者の連絡先も書いてあります。

■寄生虫を駆除する

サナダムシ、寄生虫などが見つかるのは、開発途上国だけだというのは現代の迷信です。これらは西洋社会にもよく見られ、それを駆除するのに腸のクレンジングはとても大切なステップです。色々な資料を読んでみると、健康上の問題と寄生虫にどれほど密接な関係があるかがわかり、驚くかもしれません。

■断食

西洋社会を何ヶ月も旅しながら講義を続けていると、レストランでの外食、ホテルでの宿泊、飛行機に乗ることなどは避けられません。その後、家に戻ってジュース断食を行うのは本当に気持ちの良いものです。有機野菜から作った純粋なジュースと、きれいな水だけを使った断食ほど、私のエネルギーを再生させてくれるものはありません。

理屈はこうです。あなたが食べものを摂取すると、体はそれを消化するためにたくさんエネルギーを使います。ジュースだけの断食を行うと内臓を休ませることができるため、余分なエネルギーは体を修復したり、再生したりすることに使われます。病人が何かを無理に食べようとすることほど馬鹿げたことはないと、私は信じています。

動物はこのことをよくわかっていて、弱っている時は決して何も口にしようとはしません。

何か健康上の緊急事態ではない限り、ジュース断食を始める前に腸のクレンジングを行っておくのがベストです。断食を行った人々が報告してくる不快な体験のほとんどは、腸が突然動きを止めたことで、溜まっていた宿便から毒が排出されるために起きるのです。

断食した時の空腹感が耐えられないという人に、いくつか役立つコツがあります。最初の一日、二日はジュースにスピルリナ（藍藻類）の粉末を適度に混ぜる、あるいはスピルリナの錠剤をとるようにすることです。これは知られている中でもっとも完成度の高いプロテインを含み、腸を整えて、摂取することによって空腹感が抑えられます。二日目が終わる頃には、ほとんどの人は空腹感がなくなることを体験しています。

もっとも究極的な断食は、きれいな水だけを使った断食です。これも緊急の場合以外は、初日から急に水だけでやらないほうが良いでしょう。ジュースから始めて、徐々に濃度を薄め、最後には純粋な水だけを飲むようにしていくのです。

断食を行う前に、関連書物にきちんと目を通すことは大切です。どのくらいの期間、何を摂取しながら、そしてどのように終えるのかを知らなければなりません。断食を突然に終えたり、不適当な食べものを突然体に取り込んだりすることは、時には危険な結果を招きます。

けれども正しい方法で行えば、断食はあなたが想像もできないほど気持ちの良い体験になるでしょう。体の内臓に休息を与え、あなたの体を食べもので満たさないことがどのような気分か、体験するのはとても特別なことです。あなたは人生に、新たな情熱とバイタリティを発見できるに違いありません。

■腎臓

私たちの体重の70％は水分ですが、多くの人々は日にコップ一、二杯の水しか摂取しようとしません。すべての細胞は水を含んでいて、血液は90％、骨ですら22％が水分なのです。体を健康に保つために、酸素や栄養を細胞に届け、毒素を排出するために水分は必須なのです。

ですから、水をたくさん飲んでください。水はもっとも健康に良いものです。水は体をきれいにし、頭脳を明晰《めいせき》にしてくれます。理想的には、日に二リットルの水を飲んでください。それに加えて、新鮮な野菜のジュースもお奨《すす》めです。ただしお茶、コーヒー、砂糖の入ったジュース類、アルコールなどは腎臓、肝臓、脾臓《ひぞう》や腸などに負担を与えますので、避けなくてはなりません。これらのものは大部分が水ですが、脱水症状を引き起こす強い成分が含まれているのです。

十分に水分をとっているかどうかは、神様が与えてくれたシンプルなメカニズム、「喉の渇き」でわかります。これを無視してはいけません。尿の色をチェックする方法もあります。濃い黄色の尿ならば、あなたは腎臓に負担を与えています。薄い、ほとんど色のついていない尿ならば、あなたは十分に水分を摂取しているということです。

また水分をとるにも、コツがあります。食事をする三十分前に水分をとり、食後は一時間半から二時間は水分をとるのを控えるのです。そうしないと胃液が薄められることになり、消化不良を起こします（胃の内容物が腐敗し、酸化現象を起こして体全体の機能に影響を及ぼすのです）。食べものをよく噛んで食べるようにすれば、水で流し込む必要はありません。

腸のクレンジングが快適な効果をもたらしたら、次は年に一回、水分の濾過《ろか》をする大切な臓器である腎臓も、漢方でクレンジングすると良いでしょう。

■肺

肺がその機能を最大限に生かして体内の毒素を排除するためには、呼吸を深くすることが大切です。西洋人は一般的に呼吸が浅く、体を維持するための最小限の空気しか吸い込んでいません。これは自分に対する自信のなさの現れでもあります。「私は価値がない人間だ」「私は大した人間ではない」というような思考です。あなたが恐怖心を持つと、自然に猫背になり、心臓部を庇《かば》うような姿勢になって呼吸がますます浅くなるのです。

背骨をまっすぐにしましょう。心をしっかり持ってください。人生を満喫するのは、この世に生まれてきたあなたの権利です。呼吸をするたびに、あなたは人生、愛、喜び、この世の豊かさに「イエス」と答えているのです。

開発途上国の現住人、あるいは生まれたばかりの赤ん坊を観察して、呼吸とは胸だけでするものではなく、横隔膜を使って一呼吸ごとに内臓全体をマッサージするものだということを学んでください。呼吸は必ず鼻で行い、口で行ってはいけません。食事中も、食べたものに酸素が取り込まれるように、呼吸することを忘れないでください。

これ以外に肺機能を助けるために気をつけるべきことは、毎日一定の距離を歩くこと、粘液を分泌させる食べものを避けること、空気汚染を避ける、そしてまだやめていないのなら喫煙をやめることです。なかなかやめる気になれないのなら、喫煙者の肺の写真を掲載しているインターネットサイトや、本を捜しましょう。これはかなりショッキングなものです。

■リンパ腺

リンパ腺機能は、体中の細胞をきれいにします。血液は心臓の動きによって体内中をめぐりますが、リンパ液は肺と筋肉に頼るしかありませんので、定期的な運動をすることがどれほど大切なのかわかります。歩く、泳ぐなどの軽い運動、そしてトランポリンなどはリンパ液を循環させる最高のエクササイズです。様々な種類のマッサージも役に立ちますし、乾布摩擦も良いでしょう（次のセクションの肌のところを見てください）。

一つ気をつけなくてはならないのは、リンパ液の循環を妨げる、体を締め付ける服を避けることです。シドニー・ロス・シンガーとソマ・グリスマイヤー共著の『Dressed to Kill』の中では、女性はブラジャーを着用すること、男性はタイトなパンツを身につけることによってリンパ液の循環が妨げられ、体内に毒素を溜め込むことが書かれています。

また、一九九一年から一九九三年にかけて、四千七百人のアメリカ人女性に行ったブラジャーと乳癌《にゅうがん》に関するリサーチの結果、「平均的アメリカ人の女性は、ブラジャーをつけている時間が十二時間以下の女性たちより乳癌の発生率が十九倍多い」「常時ブラジャーを着用している女性は、着用時間が十二時間以下の女性よりも乳癌の発生率が百十三倍多い」ということがわかっています。

女性がブラジャーをつける習慣がごく最近までなかった国では、それまで乳癌という病気がほとんど知られていなかったのです。不可解なことに、このリサーチの前にも後にも、これに関する似たような研究はなされていません。私の意見では、もっと研究されるべき課題だと思っています。

ワイヤー入りのブラジャー、特にプッシュアップ式のものなどは、リンパ液の循環をさらに妨げます。私個人の考えでは、ワイヤーがアンテナの役割を果たして、コンピューターなどが発する有害な電磁波をデリケートな胸の細胞に伝導させ、乳癌のような症状を引き起こすのです。コンピューターや電動ミシンなど、長時間使う機材が胸の近くに来る女性たちは、もっともリスクが高いと言えます。

■肌

肌は驚くべき機能です。２・５センチ四方に千九百万個の細胞、六百個の汗分泌穴、九十個の脂肪分泌穴、六十五本の体毛、一万九千個の末端神経細胞、５・７メートル分の毛細血管と、何百万個ものバクテリアが住んでいるのです。

本来の機能では、肌は人体の廃棄物の三分の一を排出します。でも現実には、ほとんどの人の肌の機能は衰えています。人工的なスキンケア商品は毛穴を詰まらせますし、化繊（ラテックス、ナイロン、ポリエステルなど）の特に肌にもっとも近い下着類などは、自然のプロセスを妨げます。天然の繊維を身につけるほうが体に良く、特に綿はベストです。麻、絹、ウール類も結構。洗う時は強い合成洗剤は避けてください。毛穴を通じて、体内に残留物が入り込んでくるのです。

肌の機能を高めるために、定期的にエクササイズをしてサウナやスチームバスに入って毒素を汗で流し出し、毎日乾布摩擦をして古くなった細胞を落としてください。リンパ腺を刺激することによって早く老化することを防ぐのです。これは朝、シャワーを浴びる前にするのが効果的です。

必ず心臓に向かってマッサージし、天然の素材を使ったブラシを使用してください。これはとても気持ちが良いものです。

第二十一章 心をきれいにする

あなたの家に「ガラクタ」があるのなら、心の中にも「ガラクタ」が溜《た》まっています。もっとも一般的な、心の「ガラクタ」をきれいにするには、以下のような秘訣《ひけつ》があります。

■心配するのをやめる

心配とは、揺り木馬のようなものだと聞いたことがあります。どれほど早く動かしても、どこにもたどり着くことはできないという意味です。心配することは時間の無駄遣いで、心に「ガラクタ」を溜め込み、明晰《めいせき》な頭で考えることができなくなるのです。

心配することをやめるためにまず、あなたが心の中で考えることは、その対象にエネルギーを与えることであると理解してください。ですからあなたが心配をすればするほど、その心配が現実のものとなるのです。

心配することが習慣になっているのなら、あなたの意志でそれを変えていかなくてはなりません。自分が心配していることに気がついたら（そして親しい友人にも、あなたが心配していたら指摘してもらうよう頼んでおきましょう）、そのことを考えるのをやめて、他のことに気持ちを向けてください。「こうなったらどうしよう」ではなく、「こうなったら嬉《うれ》しい」ということに集中するようにしましょう。そして今の生活で満足していることに心を向けると、さらに素晴らしいことを呼び込むのです。

あなたが心配していることのリストを作って、次に自分が木馬を揺らしていたらすぐに気がつくようにしましょう。

■批判したり、決めつけたりしない

これもまた、エネルギーの無駄遣いです。あなたが他人のことを批判したり決めつけたりすることは、全てあなたが好きではない自分の要素を反映しているのです。批判が何より得意な人たちは、理由はどうあれ、実は心の奥底で自分は大した人間ではないと信じ込んでいる人たちなのです。自分を否定する考えをやめると、他人のあら捜しをする自分も魔法のように消えてしまうことに気がつくでしょう。

もう一つ大切なのは、人間は膨大な宇宙で起きているほんの一部しか理解できていないことを、認識することです。ですから私たちは、誰に対しても決めつけるべきではないのです。泥酔しているホームレスの人は、実はこの世でもっとも優しい、親切な魂を持った人かもしれません。でもあなたが外見だけで彼を判断してモラルで彼の行動を批判すると、彼の本来の資質をまったく理解できないでしょう。

あなたの心を、こうした意味のない毒矢で満たすのはやめましょう。その代わり、どの人のこともできる限り好意的に受け止めるようにすると、彼らも最高の善意であなたに対応してくれる事実に、驚くに違いありません。

■ゴシップをやめる

他人に関するゴシップに興じるのはやめましょう。ゴシップはあなたの心に「ガラクタ」を溜めて、人生の実りを最小限にしてしまいます。自分を生かし、他人も生かしてください。ゴシップやスキャンダルにはいっさい興味を示さずに、本人の前で言えないことは口にしない、という高尚な態度を貫きましょう。

■嘆いたり、愚痴ったりしない

嘆くこと、愚痴を言うこと、あなたの人生で起きたことを自分以外の誰かのせいにすることは、言葉にも想念にも「ガラクタ」を溜め込み、他の人たちがそばに寄りつかなくなってしまいます。あなたがどれほど恵まれているかに焦点を当てると、神々がもっと恵みをもたらしてくれるようになるのです。嘆いたり愚痴を言ったりしていると、あなたは加護が得られなくなってしまいます。

■心の中で会話をしないこと

心理学者によると、平均的な人間は一日に六万個の思考を頭の中にめぐらせるそうです。残念なことに、この思考の95％はあなたが昨日考えたことの繰り返しなのだそうです。そしてそれは、そのまた前日に考えたことと同じです。要するに、あなたの頭の中にめぐっている思考のほとんどは、生産性がないおしゃべりで、何の役にも立たないのです。

もう一つの問題は、西洋式のライフスタイルにありがちの、外から入り続けてくる意味のない刺激です。テレビやラジオを単に「寂しいから」かけっぱなしにしておいて、中身のない小説を読んだり、ダラダラとネットサーフィンしたりという人たちは大勢います。

そしてある日突然年老いて病気になった自分がいて、これまで人生を無為に過ごしてきたことに気がつくのです。思想は全て他人の借り物で、自分が何のために生まれてきたのか、自分が何者なのかまったくわからないままなのです。

あなたが最後に、独自の面白いアイディアを考えついたのはいつのことですか？　悲しいことに、大多数の人が日常の雑念にとらわれて日々を無為に過ごしています。

人生を明瞭に見つめることをあなたの優先事項にして、日々その技術を研ぎ澄ませていくようにしてください。瞑想《めいそう》することを学び、心を静かにすることがもたらしてくれるものを体験しましょう。心の中の会話をやめて、雑音にとらわれていては決して感じることのできない、崇高でスピリチュアルな波動を感じてください。

■先延ばしにしない

何をやるにも、その場できちんと始末をつけましょう。たとえば友だちと話している最中に、あなたに役立ちそうな電話番号を彼女が持っているという話題が出ます。その番号は手元にあるのに、明日また電話で知らせるから、と言うのです。

今日できることを明日に延ばそうとする人がどれほど多いことか、驚いてしまいます。ものごとを先延ばしして、明日また再び思い出さなくてはならないことがどれほどエネルギーの無駄遣いであることか。電話番号はその場でもらってください。そうすればやらなくてはならないことが、あなたの人生から一つ減るのです。

借金、人から借りたもの、やると約束して実行していないものなどは、きちんとけりをつけてしまってください。こうした半端に放置していることは全て、あなたに実行を呼びかけてエネルギーを浪費させるのです。あなたが守れない約束をしてしまったのなら、相手に実行できないことを告げたほうが、そのままうやむやにしておくよりもずっとましです。

私が「しなければ」を心の辞書から取り除いた時に経験した、面白い話をご紹介しましょう。

木曜日の夜に、前から見たかった映画を友だちと見に行く約束をしました。でも木曜日が近づくにつれて、出かける気分になれなくなってきたのです。こんな場合、できることは二つあります。一つは約束したのだから、無理にでも出かけること。もう一つは友だちに電話をして約束をキャンセル、あるいは延期すること。

私がキャンセルをした場合の90％は、相手も同じように感じていたけれどこちらに気遣っていたという状況で、お互いにとってパーフェクトな結果になりました。残りの10％の人はちょっと腹を立てますが、相手が正直な人ならば、腹を立てたのはほとんどの場合、私のせいではないことに気がつくでしょう。原因は相手の心に柔軟性がないためか、あるいは私が断ったことが過去のトラウマを引き出すきっかけになったためということが多いのです。

次の章で、怒りについて少し詳しく述べましょう。

■コミュニケーションをクリアにする

気まずいまま連絡が途絶えた相手はいますか？　ちょっと考えてみてください。どこか人が集まる場所にいるとしましょう。ある人物がドアから入ってきたら、あなたの心は気まずい思いでいっぱいになるという相手がいますか？

二人の間に緊張感が漂っているため、部屋が急に狭くなったように感じる相手はいますか？　あなたは彼らのことを頭の中から追い出して、意識的に思い出さないようにしているかもしれません。でも潜在意識はきちんとおぼえているのです。コミュニケーションを放棄した相手がいることは、あなたのエネルギーレベルを下げるのです。

一緒に寝ている相手なら、特にコミュニケーションをクリアにして問題を解決しておきましょう。そうでなければあなたは、相手と超意識のレベルで一晩中喧嘩《けんか》を続けて、朝起きた時は疲労しきっていることでしょう。

■全てを現在形に保っておく

あなたが今の生活全てを現在形に保っていれば、人生のエネルギーをリアルに感じ取ることができます。ものごとを先延ばしにしない努力をして、その状態を保つように心がけてください。そうすることによって、自分でも信じられないほどのエネルギーが満ちてきます。子供たちはまさにそうです。彼らは今現在を満喫して生きています。彼らがどれほどバイタリティにあふれているかは、誰もが知っていることです！

■過剰な情報を管理する

カリフォルニア大学バークレー校情報学部は、世界中の情報量を調査するという大胆な研究に取り組みました。彼らはこれを「生きている文書」と形容して、コメント、修正、指摘などに従って修正し続けていく意志があることを表明したのです。

さてではどのくらいの情報があったのでしょう?

二〇〇二年の調査でまとめられた二〇〇三年版のレポートによると、情報の単位自体が、ものすごいものでした。私が言っているのは、慎み深いキロバイト(KB)や、主要なメガバイト(MB)、重要なギガバイト(GB)(1ギガバイトは情報量が詰まった本、トラックの荷台一杯分だそうです)の話ではありません。五万本の木を切って作った紙に活字を印刷しただけの量、テラバイト(TB)、あるいはペタバイト(PB。20ペタバイトは地球上すべての本を集めたのと同じ情報量)ですらありません。私が話しているのはエクサバイト(EB)のことで、その上にはゼタバイト(ZB)、ヨタバイト(YB)などの単位があります。この本をあなたが読んでいる頃には、さらに新しい単位が作られているかもしれません。

とりあえず今のところは、情報データはエクサバイトで計算されていて、印刷物、フィルム、磁力、光学記憶媒体の全てを含むと、二〇〇二年には5エクサバイトの新しい情報が生み出されたということです。これは前回の調査が行われた一九九九年の倍の量でした。

驚いたことに、紙は全体の0・01%でしかありません。大部分（92%）は主に磁力媒体、ハードディスクなどに保存されたものでした。この数値には、インターネット、電話の会話、ショートメッセージ、ラジオ、テレビ、Eメール、ボイスオーバーインターネット、P2P《ピーツーピー》などを含んでいません。これらは二〇〇二年の総量にさらに18エクサバイトを加えることになり、その98%が個人の電話の会話だというのです。私たちは、何て雑音の多い惑星で暮らしているのでしょう！

世界全体のウェブサイトはたったの170テラバイトの情報で、そのうちのわずか100メガバイトが私が貢献したものです（もっとも私が作った二〇一三年のウェブサイトで2・25ギガバイトになったことを誇りに思っています）。

もっと気が遠くなるような数字を見たかったら、www2.sims.berkeley.eduのホームページに行って、「How much information?」のリサーチプロジェクトを捜し、最新の情報をチェックしてみてください。

ここで私が言いたいことは、世の中には膨大な量の情報が出回っているということです。ダグラス・アダムスの『銀河ヒッチハイク・ガイド』の序文に書いてある、「宇宙は広大だ。物凄《ものすご》く広大。どのぐらい気が遠くなるほど広いか、きっと想像もできないだろう」という形容と同じスケールです。

神経科学者たちは、infovore という新語を生み出しました。人類の新しい情報に対する本能的な欲望のことです。彼らは、人が新しい情報を学ぶ時、脳はヘロインやモルヒネを摂取した時と同じ快楽を感じる回路を使っていることを発見しました。ある人たちがインターネットのポルノサイトやソーシャルネットワーク、ギャンブルやゲームなどに中毒になるように、情報を集めることで高揚感を感じる人たちがいるのです。Infovoreの中には、何時間も何時間も意味のあるデータを求めてインターネットでリサーチし続け、ほとんど強迫性障害のようになってしまう人もいます。

あなたがそのようなライフスタイルを送っているのなら、そのような行為が実際に人生で体験することの代わりになってくれているのかどうか、自問自答してみてください。あなたは他者と現実の関わりをほとんど持たない、自分だけの世界に生きているのでしょうか？　そしてあなたが調べていることのほとんどは、すぐには役立たないけれど「いつかそのうち必要になった時のため」のものでしょうか？

もしそうならば、物質的な「ガラクタ」に対応するのと同じように、セラピーなどを試して、自分の中毒の原因を解明してみてください。

■安眠のために、気持ちをきれいにする

あなたが忙しい日々を送っていて「やること」が山ほどあれば、気持ちを切り替えてリラックスすることは難しいかもしれません。特に眠りにつこうとする時、あなたの頭の中はまだ考えごとでいっぱいになっているかもしれません。

そんな時には、こうしてください。枕元にノートとペンを用意して、明日やらなくてはならないことを寝る前に書きつけるのです。書き終わったら、そのことを忘れて眠りにつきましょう。夜中に何か書き忘れたことを思い出したら、片目だけ開けてノートに書きつけ、また眠りに戻ります。最初のうちは豆電球でもつけておかなければならないかもしれませんが、そのうち暗闇の中で目をつぶってでも書けるようになります。そのうち慣れれば一度書くだけで、夜通し心配せずにぐっすりと眠ることができるようになるでしょう。

あなたが忙しければ忙しいほど、夜の間にリラックスして元気を回復しておくことが重要になってくるのです

第二十二章 感情をきれいにする

世の中の人たちのほとんどは、何らかの感情の荷物を引きずっています。この荷物は私たちを老け込ませ（私が集中的にそれをクリアリングした後、十歳若く見えるようになりました）、やりたいこと全てを妨げているのです。

■怒り

「ガラクタ」をクリアリングする最高のタイミングは、何かに腹を立てている時です。始める前に、自分を落ち着かせようなどと考える必要はありません。悔し涙を流し、必要なら罵詈《ばり》雑言をわめきながら、戸棚を開けてください。そして中のものを全部出し、いるものといらないものをより分け始めるのです。

この状態の自分にとって、いらないものを処分するのがどれほど簡単か、きっと驚くことでしょう。まるで一人で勝手により分けられていくかのようです。あなたがこれまで後生大事にしてきたものが、すでに必要のない古ぼけたものに思え、何の執着心も湧かずに迷うことなくゴミ箱に捨てることができるのです。またいらないものを整理しているうちに、心が落ち着いてきて、何がそこまであなたを怒らせたのか理解できるようになってくるでしょう。「ガラクタ」を処分することにより、感情に鬱積《うっせき》していたものも解放することができるのです。

私がかつて学んだ教師の一人は、腹が立ちそうになった時に「これは十年後にも大切なことだろうか？」と自分に問うことを教えてくれました。未来の自分の視点になって現在の状況を見てみると、答えはほぼ必ず「ノー」になるのです。

ほとんどの「ガラクタ」についても、同じことが言えます。「十年以内に、これが必要になるだろうか？」と考えてみると、これまで溜《た》め込んできたもののほとんどについての答えが、「ノー」になるでしょう。

■不平不満

感情の中に積もった「ガラクタ」の中で、もっとも始末におえないのは不平不満です。自分の心をよく見つめて、何を、誰を赦《ゆる》さなくてはならないのかを考えてください。

不平不満が積もった人たちは、お互いに話をしなくなることすらあります。家族や夫婦の間でもう何日も、何週間も、何ヶ月も、何年も、時には何十年もろくに言葉を交わしていない人たちに会ったことがあります。このような感情を抱えたまま墓場に行ってしまった人たちは、おそらくそれが原因で亡くなったのに違いありません。

時には鬱積した感情が、家族全体、集団、国家などに広がり、社会の感情にガン細胞を作り上げます。彼らは武力で状況を変えようと試み、リーダーが捕まるか、強力な第三者の介入によって和解させられるまで、解決しようとしないのです。外交術とは、滞った感情のエネルギーを調和する手段と言っても良いかもしれません。

あなたが怒るとむっつりと黙り込むタイプだったら、沈黙はあなたの望みどおり相手を傷つけているものの、実際にはあなた自身をもっと傷つけていることを理解してください。人間関係を向上させる講義を受けて、もっと問題をうまく解決できる方法を学びましょう。

赦して、忘れるのです。不平不満の感情を脱ぎ捨てて、あなたの人生を進めてください。

■不要な友人関係を整理する

話をするのに努力が必要で、話した後ぐったりと疲労感を感じる知り合いはいますか？　電話がかかってくると、思わず舌打ちをしたくなる相手はいますか？　私が言っているのは、今たまたま大変な時期を迎えているとか、この一週間つらい状況にいた親友のことではありません。いつもネガティブで、明らかにあなたにとって「賞味期限」が過ぎたのに、相手と縁を切る勇気も、時間も、機会もなかったという相手のことです。

興味深いことに、ほとんどの人々がこのような不要な「友人」を持っています。ある時、夕食の間、ずっと「地獄から来た客」の話を聞かされたことがありました。招待されてもいないのに毎年その家に押しかけてくる女性のことでした。でも不思議なことに、誰も彼女がその家に歓迎されていないことを伝えずに、彼女の作る、とてつもなく不味《まず》い手料理や、赦せない態度をじっと我慢して、その後知り合い全員に彼女についての不平を洩《も》らすのでした。

ちょっと数分間座って、あなたがもう友だち付き合いしたくないと思っている人たちをリストしてみてください。その間、この本を少しお休みして……。

さてここで、興味深い質問です。あなたがこのリストを制作し、他の人たちもリストを作ったとしたら、あなたは一体誰のリストに載っているでしょう？　よく考えてみましょう！　私たち皆が正直になって、このような馬鹿げた社交ゲームをやめたらどうでしょうか？

あなたは世界中の何百万人もの中から、付き合う相手を選ぶことができるのです。優しい心を持っていて、あなたに元気を分けてくれる人を選んでください。

古い、カビの生えた人間関係を整理する勇気を持てば、あなたは新たに素晴らしい人間関係を手に入れて、自分が何を欲していて、何を欲していないか、選ぶことができるのです。そのうちいい加減な人、あなたのエネルギーを一方的に吸い取ってしまう吸血鬼のような人、とてもネガティブな人たちとは、あなたのエネルギーレベルがかみ合わないことがわかるでしょう。相手もあなたから無料でエネルギーを補給することができないとわかれば、近づいてこなくなるのです。

■古い人間関係から脱出する

時には人生の「ガラクタ」になったのが、単なる知人ではなく、あなたのパートナーである場合もあります。あなたの人生が相手と違う方向に発展していったのが原因なのか、あるいは最初から相応《ふさわ》しい相手ではなかったのかもしれません。お互いが相手にとっての「ガラクタ」になってしまったのに、時には片方だけがそれに気がつくこともあります。

あなたには二つの選択があります。一つは関係が自然崩壊するまで、放っておくこと。もう一つは勇気を持って、関係を修復するなり、あるいは別れるなりの行動を起こすことです。

あなたがまだ相手を愛していて、尊敬しており、お互いにいたわり合っているのなら、形を変えても二人の関係を修復できる可能性は高いでしょう。できる限りのチャンスを与えてみて、もし別れるべき時が来ているのなら、あなたの心の奥底で今が潮時だと感じるはずです。

そのような場合、ほとんどのケースが新しいスタートを切るべき時が来ていることが多く、ダラダラと結論を出すのを先延ばしにするのは、あなたにも、相手にとっても良くありません。別れは怖いと感じるかもしれませんが、それはあなたにとって必要なことでもあります。体に満ちてくる恐怖心は、エキサイトメントと呼ばれる感情であることに途中で気がつくでしょう。それはあなたの魂が、新しく人生に開けた展望にスリルを感じている感情でもあるのです。

■心の鎧を取り除く

あなたの家が「ガラクタ」でいっぱいになっているのなら、あなたは出かける時にアクセサリー類をたくさん身につけ、そうしなければ半分裸で外に出るような気分になる人かもしれません。家に積もった「ガラクタ」類と同じように、このようなアクセサリー類が心の鎧《よろい》の役割を果たしているのです。家の中をきれいにすると、素のままの「あなた」を光らせたくなり、自然にアクセサリーの量を減らしたくなることでしょう。

第二十三章
魂をきれいにする

実を言えば、これが本書の目的の全てでした。私たちの視野を曇らせ、混乱させ、道を踏み誤らせるものをクリアリングしていくことを目指していたのです。

■今は特別な時代

スピリチュアルリーダーたちのほとんどが、現代は地球の歴史の中で、人類の魂の成長にとってもっとも重要な時期だと主張しています。その時代に生まれ合わせた私たちは、幸せ者なのです。

かつては世界中の叡智《えいち》を学ぶことが許されたのは、ごく一部の限られた人たちでした。昔は何年もかけて師匠に弟子入りして学ばなくてはならなかったことが、現代社会では週末のセミナーでその基礎を学べることに気がついていますか？　もちろんその深さに違いはありますが、叡智、技術を学ぶためのドアは常に開かれているということなのです。

ですから私たちを過去にしばりつけておく不要なものを保管しておくことは、とても非生産的なことなのです。私たちが今日ここにいるためにこれまで何度輪廻《りんね》を繰り返してきたか考えてみると、あなたの内なる魂にとって、今現在を生きることがどれほど大切なのか、理解できると思います。

■あなた自身に戻るためのコーリング

バリ島には「コーリング（呼び戻し）」と呼ばれる特殊な儀式があります。彼らによると、人は人生を生きているうちに、自己の一部を失っていきます。これが過剰に起きたり、あるいは何かトラウマ的な事件で急激に起きたりすると、魂の力が弱って命に関わることもあります。

たとえば道で事故にあった人は、バリ島の僧侶と共にその現場に戻って儀式を行って、その場を清め、自分が失った魂の一部を呼び戻すのです。この儀式はバリ島のヒンズー教の教えに従って行われるので、西洋社会で実行することは難しいかもしれません。でもここでその話を出したのは、「ガラクタ」を整理するのと同じような効果が得られるためです。

あなたがもう使わないもの、好きではなくなったものを処分すると、それに執着していた魂の一部が自分のところに戻ってくるのです。これを実行することにより、あなたは現在を生きることができるようになります。分散していたあなたのエネルギーが一カ所に集まって、大切なものごとに集中できるようになるでしょう。あなたの魂は落ち着いて、心に平和な気分が訪れます。「ガラクタ」を整理するだけでこのような効果が得られるなんて、驚きではありませんか?

■「ガラクタ」から自由な生活

「ガラクタ」クリアリングのもっとも崇高な目的は、私たちがもともとやってきてこれから戻っていく場所から送られてくる、レベルの高いスピリチュアルなエネルギーとつながるためです。現代社会で暮らしていると、今の人生は単なる魂の通過地点であることを忘れがちになり、物質にとらわれ、この世が全てであるかのような気持ちになってしまいがちです。

様々な形での「ガラクタ」クリアリングは、澄んだ心、シンプルな考えを保つ助けになるのです。あなたの心を曇らせてしまう余分な「ガラクタ」を手放し、今の自分の魂の旅に必要なものだけを身の回りに置くことで、スピリチュアルな旅はずっと楽になります。

それによって訪れる心の平和、魂の目的を体感すれば、二度と「ガラクタ」を溜《た》めることはなくなるでしょう。

訳者あとがき

本書は、二〇〇二年に小学館文庫から出版された『ガラクタ捨てれば自分が見える』（原題『Clear Your Clutter with Feng Shui』）の二〇一三年最新版の翻訳です。

このところ日本でも、「お掃除が運勢を上げる」というコンセプトが、大きなブームになりました。「風水整理術」関連のテーマの本が、書店の一角を占めているところもあります。でもカレンさんが本書の中で主張しているように、本書こそがそのブームの火付け役を果たした、元祖本なのです。

二〇〇二年にこの翻訳版が初めて日本で出版された当時、すぐにアマゾンなどのオンラインブックストアで評判となりました。評価の高い読者レビューが次々と書き込まれてしばらくの間、アマゾンで売り上げナンバーワンにまでなったのです。これまで二十冊以上の本を翻訳してきましたが、本書ほど読者に愛され、読者たちの支持によって後押しをしてもらってきた本も珍しいと感じています。

その理由の一つは、著者であるカレン・キングストンさんの主張する、「人生から無駄なものを排除すれば、新しい良いエネルギーが入ってくる」という風水哲学が実にわかりやすく、多くの人たちがその効力を実感したためだと思います。

本書の原本が一九九八年に英国で出版されるまで、風水といえば、西の方向に黄色いものを置けば金運が上がる、というようなものが主流でした。風水に凝っている人の家の中には、玄関には八角形の金縁の鏡が壁にかけてあり、居間には金ぴかの置物や水晶などのパワーストーンが置いてある、という、失礼ながらちょっとゴテゴテしたイメージがありました。風水を気にしすぎて「縁起物」で部屋が溢《あふ》れかえっている人に会ったこともあります。

でもカレンさんは、不要な「ガラクタ」を溜《た》め込むことが、人のエネルギー、運勢全体に悪影響を与える、ということに注目しました。そしてそれらの不要なものを排除することによって、良いエネルギーが入ってくると主張したのです。従来の風水が足し算方式だとすれば、カレンさんの風水は、引き算方式の風水。「必要なことは、『ガラクタ』を片付けるだけ」という、単純ながらも効果的で、清々しいイメージの風水を説いたのです。

頭ではわかってはいるものの、なかなか実行に移すことが出来ないという人も、中にはいるでしょう。そんな人のために、カレンさんは実に具体的にアドバイスをくれます。

そもそも、「ガラクタ」とは何なのか。

人はなぜ「ガラクタ」を溜め込むのか。

なぜ物を捨てられない人がいるのか。

捨てられないというその裏にある心理は。

「ガラクタ」がなぜ持ち主の人生の進展を阻むのか。

本書の中でカレンさんは、こういったことを的確に指摘し、歯切れ良く解説していってくれます。その指摘は家の中のことだけでなく、体の中、そして心の中の「ガラクタ」までに及んでいます。


多かれ少なかれ、誰でも長い人生の間でいつの間にか物質的、精神的な「ガラクタ」を溜め込んできているのではないでしょうか。本書を読んで、自分にはまったく身に覚えのないという人は、おそらくほとんどいないのではないかと思うのです。

私自身、初回の翻訳作業中もそうだったのですが、今回の改訂版も翻訳しながら思わず椅子から立ち上がり、あれやこれやと物を整理したくなってこまってしまいました。原稿の締め切りが近いというのに、つい夜通しかけて物置の中をきれいにしてしまったことをここで白状し、担当してくださった編集者の方々にお詫《わ》びしたいと思います。

でも確かにそんなパワーが、本書にはあるのです。

カレン・キングストンさんは、英国に生まれ育ちました。風水を使ったスペース・クリアリングのスペシャリストになる前は、人のエネルギーに関わる、呼吸を使ったヒーリングの仕事をしてきたそうです。

その後バリ島の風水に魅せられて、しばらくバリ島で年の半分を過ごすようになったのだそうです。現在、どんどん商業化されていきつつあるとはいえ、彼女が住んでいた当時のバリ島は、まだ精神文化が重んじられて風水がごく普通に日常生活の一部になっていた土地であったようです。

カレンさんは「ガラクタ」を片付けると同時に、水と花、キャンドルとベルなどを使った簡単な儀式を用いてスペースを浄化する方法も説いています。そちらのほうは、彼女の『ガラクタ捨てれば未来がひらける』（小学館文庫）のほうに詳しく書かれています。「ガラクタ」整理が一段落して、もう一歩踏み込んでみたい人にはこちらの本もお奨《すす》めです。

一九九八年に本書の原本が英国で発売されてから現在まで、カレンさんはオンライン版、印刷版含めて何度か改訂版を出版してきました。でも内容的に初版と変わっていない部分も多いため、なかなか日本ではその改訂版を出版することが難しい状況でした。でもこのたび小学館編集部のご厚意によって、十年以上の歳月を経て、ようやく著者の最新版をここで改めて紹介できることになったのは、本書を日本に紹介した翻訳者として大きな喜びです。

二〇〇二年の初版に比べると、著者によって30％ほどの加筆がなされています。中でも第十七章の「時間の無駄を管理する」と第十九章の「視点を変える」は、オリジナル版にはなかった新しい部分です。また読みやすさなどを考慮して、翻訳の文章にもいくらか手を加えてみました。初版をすでに読んでくださった読者にも、きっと楽しんでいただけると思います。

最後になりましたが、本書の翻訳を可能にしてくださった小学館編集部の方々に、心からお礼を申し上げます。

二〇一三年九月

田村明子

―――本書のプロフィール―――

本書は、二〇一三年にイギリスで刊行された『CLEAR YOUR CLUTTER WITH FENG SHUI, Revised Edition, 2013』を本邦初訳したものです。

小学館文庫

新《しん》ガラクタ捨《す》てれば自分《じぶん》が見《み》える

――風《ふう》水《すい》整《せい》理《り》術《じゅつ》入《にゅう》門《もん》――

著者　カレン・キングストン
訳者　田村明子《たむらあきこ》

二〇一三年十月十三日　初版第一刷発行
二〇一八年九月十一日　第七刷発行

発行人　岡　靖司
発行所　株式会社　小学館
〒一〇一-八〇〇一
東京都千代田区一ツ橋二-三-一
電話　編集〇三-三二三〇-五六一七
　　　販売〇三-五二八一-三五五五
印刷所――――凸版印刷株式会社

この文庫の詳しい内容はインターネットで24時間ご覧になれます。
小学館公式ホームページ　http://www.shogakukan.co.jp

ISBN978-4-09-408862-5